독해력 키움

초등국어

7가지 비법으로 체계적인 독해력 향상

7유형 독해법

이 책을 쓴 선생님들

이 책은 초등교육과정의 단계별 수준에 맞추기 위하여 학년별 교과과정에 맞는 글을 선정하였습니다. 학년별 교과과정에 따라 6단계로 나눈 것입니다. 1단계에서 6단계로 나아갈수록 지문과 문제의 수준이 차츰차츰 높아집니다. 이런 점에 따라 이 책은 자신의 학년에 맞추어 공부하는 편이 바른 방법이겠지요.그러나 독해력은 개인차가 존재하므로 독해력의 기초를 다진다는 의미로 볼 때 자신의 학년보다 조금 단계를 낮추어 시작하는 것이 효율적일 수 있습니다.

읽기는 종합적인 생각의 과정으로 글의 사실을 이해하고, 이해한 사실에 미루어 새로운 내용을 짐작해보고, 비판도 하면서, 새로운 다른 일에 적용할 줄도 알아야 합니다. 이점에 착안한 4번 미루어알기, 6번 적용하기 유형을 통하여 응용력과 창의력을 키울 수 있습니다.

문항 유형별로 갈래에 따른 출제 유형과 대응 전략을 7가지 독해법과 함께 소개하였으므로, 본격적인 학습에 들어가기 전에 잘 익혀두면 독해력 향상에 크게 도움이 됩니다. 특히 취약유형은 더욱 대응 전략을 잘 숙지하면서 문제를 푸는 습관이 필요합니다.

김갑주 선생님　　서울대학교 국어국문학과 졸업, 장훈고등학교 국어교사, 대성학원과 종로학원 강사, 중고등 참고서 다수 집필, 초등 독해력 키움 집필

저는 초등학교에서 15년 가까이 근무하며 국어뿐만 아니라 모든 공부의 바탕에 문해력이 있다는 데에 확신을 가지게 되었습니다. 그런데 학생들이 문해력을 효과적으로 향상시키려면 다음 두 가지가 꼭 필요합니다.

첫째는 독해력입니다. 여러분은 이 교재의 회차별 7가지 문항 유형을 통해 주제찾기(1번유형) 및 글감 찾기(2번유형)부터 사실 이해하기(3번유형), 미루어 알기(4번유형), 세부 내용 찾기(5번유형), 적용하기(6번유형), 요약하기(7번유형)까지 연습할 수 있습니다. 둘째는 어휘력입니다. 회차별 지문뿐 아니라 <어휘 넓히기>, <어휘·어법 총정리>에서 여러분은 많은 낱말을 익히게 됩니다. 또 학년에 따라 맞춤법 및 한자어에 대한 영역까지 두루 살펴볼 수 있습니다.

이 교재를 꾸준히 공부하면 독해력과 어휘력을 함께 체계적으로 신장할 수 있습니다. 하지만 가장 좋은 것은 독서와 이 교재를 병행하는 것이겠지요. 어려움이 있더라도 끈기와 집중력을 발휘하여 최선을 다해 주기를 바랍니다.

김미나 선생님　　경인교육대학교 사회과교육과 졸업, 서울대학교 국어교육과 석사 졸업, 초등 사회 교과서 문장 오류 분석, 이스라엘 초등 국어 교과서 한국어 번역 작업, EBS 뉴스의 우리말 순화 활동지 제작 등 다수의 사업 참여, 현재 세종 다빛초등학교 재직 중

구성과 학습 방법

구성에 따른 학습 방법을 알고 공부하면 효과를 높일 수 있습니다. (표를 보는 순서 ① 주간 시작 → ② 독해 지문 → ③ 7가지 문항 유형 → ④ 어휘 학습 → ⑤ 주간 총정리)

② 독해지문

'생각 열기'는 아래에서 읽어야 할 글(본문)에 대한 실마리를 담고 있어요.

문항별 점수에 따라 나의 점수를 계산해 봅니다.

본문에서는 국어 교과서의 글은 물론, 사회, 과학, 국환 등에서 학년단계에 맞는 글들을 선별하고, 통합교과적 소재에 대한 독해 능력을 올리는데 알맞은 글들을 최종적으로 엄선하여 수록했습니다.

본문에 나온 어려운 말에 어깨번호를 붙이고 그 말에 대해 자세히 설명해 둔 것이에요.

단계별 교과 과정에 맞추어 모든 교과서에서 통합 교과적인 글감을 선별하고 이것을 다시 인문, 사회, 과학, 산문문학, 운문문학으로 체계화하며 수록하였습니다.

'생각 열기'를 통하여 어떤 내용이 실려 있는지 대강 알고 읽으면 본문을 쉽게 파악할 수 있어요.

본문으로 실은 글의 종류가 무엇인지는 중요하지 않습니다. 다만 통합교과적인 글들을 읽는 훈련을 통하여 인문, 사회, 과학, 문학 등의 여러 종류의 글을 읽으면서 체계적인 독해능력을 기르도록해요.

본문을 읽으면서 어깨번호가 붙은 말이 있으면 본문의 아래에 있는 설명을 보아 도움을 받도록 해요.

③ 7가지 문항유형

'대학수학능력시험', 'SSAT(미국 중등학교 입학시험)' 등의 평가 유형을 참고하여 초등과정에서 효과적인 독해력 향상을 위한 독창적이고 체계적인 7가지 독해 비법을 유형으로 개발하였습니다.

7가지 유형의 지정 문항을 매회 1개씩 배치하여 각 유형마다 40문항씩 익히게 됨으로써 체계적 독해력 향상이 가능합니다.

피드백효과

평가와 진단하기에 문항 유형별 체크를 하여 유형별 실력 파악과 진단이 가능하며, 글감별로도 진단이 한눈에 보이게 됩니다.

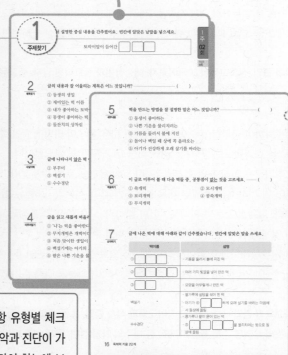

7가지 독해력 측정을 위해 [주제찾기(1번), 글감이나 제목 찾기(2번), 사실 이해(3번), 미루어 알기(4번), 세부내용 파악(5번), 적용하기(6번), 요약하기(7번)]를 지정문항으로 반복함으로 유형별로 효과적인 해결능력을 올리도록 했습니다. 또한 모든 단계가 끝나는 자리(이 책의 끝)에 있는 평가 진단표를 작성하도록 하여 취약 유형을 파악하고 보완하도록 하였습니다.

④ 어휘 학습

낱말의 뜻을 알고, 부려서 쓸 줄 아는 힘은 읽기를 잘하기 위해서 바탕이 되는 힘이에요.

위에서 뜻을 알아본 낱말을 문장에서 부려 쓸 줄 아는지 평가해 보려고 해요.

해당 단계에서 알아야 할 맞춤법을 익혀서 독해력의 기본기를 다져요.

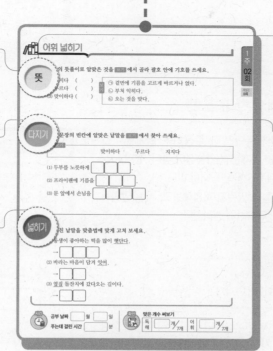

왼쪽의 낱말을 보고 오른쪽의 어느 것이 그 뜻일지 서로 견주어 보면 어렵지 않게 맞추어 갈 수 있어요.

빈칸의 앞과 뒤에 놓여 있는 말을 잘 살펴 가면서 알맞은 말을 고르면 되어요.

여기에 나오는 낱말은 본문에 수록된 낱말입니다. 문장마다 밑줄이 있는 낱말을 잘 살펴서 어떻게 고쳐 써야 하는지 생각해 봅니다. 헷갈리기 쉬운 맞춤법 내용을 추렸으므로 이를 바탕으로 한글의 특징을 배워 나가게 됩니다.

① 주간 시작

해당 학년의 진도에 맞게 국어, 사회, 과학, 국학 등의 교과서의 통합교과적인 글감들을 5개 영역으로 나누어 글의 종류에 따라 체계적으로 이해하도록 꾸몄습니다.

한 주 동안 공부한 글에 나온 중요 어휘를 테스트합니다.

독서보단 채팅이 많은 요즘, 맞춤법을 틀리는 일들이 많아집니다. 맞춤법이 헷갈리는 어휘들을 본문에서 뽑아 테스트로 만들었습니다.

⑤ 주간 총정리

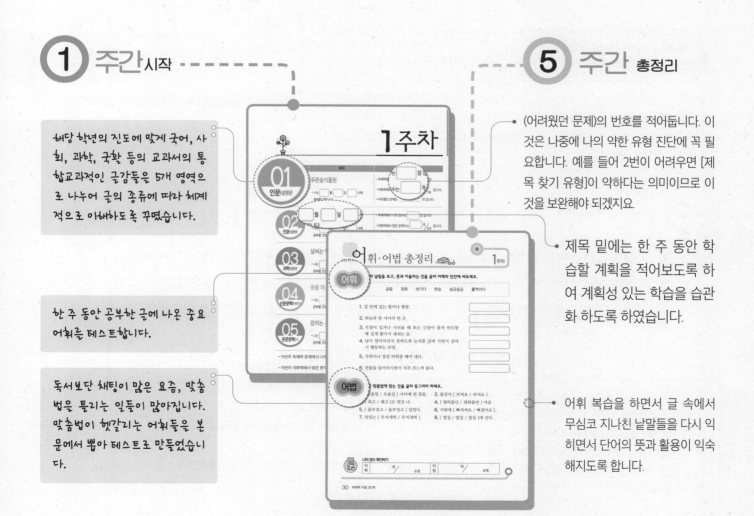

(어려웠던 문제)의 번호를 적어둡니다. 이것은 나중에 나의 약한 유형 진단에 꼭 필요합니다. 예를 들어 2번이 어려우면 [제목 찾기 유형]이 약하다는 의미이므로 이것을 보완해야 되겠지요.

제목 밑에는 한 주 동안 학습할 계획을 적어보도록 하여 계획성 있는 학습을 습관화 하도록 하였습니다.

어휘 복습을 하면서 글 속에서 무심코 지나친 낱말들을 다시 익히면서 단어의 뜻과 활용이 익숙해지도록 합니다.

7가지 유형 독해 방법

7가지 유형으로 학습한 후, 책 뒷면에 있는 평가와 진단하기에 문항별로 체크를 하여보면 자신의 실력과 부족한 부분을 자가 진단할 수 있습니다.

주제찾기 유형(1번)
글 전체의 중심 내용 찾기 문항

설명하는 글에서는 '이처럼', '이와 같이', '요컨대' 등의 말이, 주장하는 글에서는 '그러므로', '따라서' 등의 말이 문장의 앞에 놓이면 주제문일 가능성이 높다. 주제 문장이 보이지 않으면 마지막 문단을 요약하여 주제 문장을 만들어야 한다.
이야기는 인물, 사건, 배경 중 무엇이 중심에 놓여 있는지 파악해보고, 시는 말하는 사람이 어떤 느낌이나 생각에 사로잡혀 있는지 파악하여 정리한다.

글감(제목)찾기 유형(2번)
글에서 반복하여 나타난 말이나, 글의 대상이 된 것

설명하는 글과 주장하는 글에서는 여러 번 반복하여 나타난 글의 중심 낱말을 찾아내는 것이 가장 중요하고, 이야기에서는 인물, 사건, 배경 중 무엇에 초점을 두었는지를 확인한다. 시는 작품을 음미해본 다음, 무엇을 대상으로 하여 내용을 이루었는지 따져본다.

사실이해 유형(3번)
글에 나타난 사실을 있는 그대로 이해했는지 확인

설명하는 글과 주장하는 글에서는 원인과 결과의 관계, 주장과 근거 등에 유의하면서 글에 나타난 사실을 이해했는지 확인한다.
이야기에서는 사건이 글에 나타난 것을 따져보도록 하고, 시에서는 표현의 특징을 중심으로 사실을 이해한다.

"그럼 이제 아영이 차례네. 두구두구두구 개봉 박두!"
"한영이, 두영이, 세영이……."
다른 친구들을 보니까 동생이나 언니, 오빠랑 이름 한 글자씩 똑같더라고요. 은비랑 은제, 재현이랑 재성이 오빠, 현아랑 영아 언니……. 그래서 내 이름에 있는 '영' 자에다 하나, 둘, 셋을 붙인 거예요.
"우리 아영이의 '영'자를 돌림자로 썼구나."
"와, 제법 기발한데? 아영이랑 방울토마토 삼 형제가 진짜 가족이 된 것 같네. 하하하."
이렇게 해서 만장일치로 방울토마토 삼 형제의 이름이 한영이, 두영이, 세영이로 확정되었어요. 내 ⓒ아이디어가 뽑히니까 기분이 좋아요.

낱말풀이 ① 건성 : 어떤 일을 성의 없이 대충 대충을 걸으로만 함 2 진지한 자세나 성의 없이 대충 하는 태도 ③ 만장일치 한 회의 장소에 모인 모든 사람이 같은 의견에 도달함

1 중심 내용을 알맞게 간추린 것은 어느 것입니까? ──( )
주제찾기
① 학교에서 있었던 일 ② 가족들로부터 느낀 서운함
③ 강아지를 기르면서 느낀 점 ④ 가족회의를 통해 확인한 아빠의 사랑
⑤ 방울토마토 이름 짓기를 둘러싸고 일어난 일

2 이야기를 펼치기 위해 선택한 글감을 찾아 쓰세요.
글감찾기
☐ ☐ ☐ ☐ ☐

3 방울토마토 삼 형제의 이름은 무엇입니까? 빈칸을 채우세요.
사실이해
☐ ☐ 이, ☐ ☐ 이, ☐ ☐ 이

2주 | 09회 **45**

국어 능력 향상은 체계적인 훈련이 꼭 필요합니다. 국어 능력 향상 비법 7가지[주제 찾기(1번), 글감이나 제목 찾기(2번), 사실 이해(3번), 미루어 알기(4번), 세부내용 파악(5번), 적용하기(6번), 요약하기(7번)]를 통해 글의 이해, 분석, 추리, 적용의 종합적인 사고 능력을 체계적으로 키우세요.

[평가와 진단하기 활용법]

※ 이 책의 모든 문항과 유형은 동일 번호로(1번→주제찾기, 2번→제목(글감)찾기, 3번→사실이해, 4번→미루어 알기, 5번→세부내용 6번→적용하기, 7번→요약하기) 통일되어 있습니다.
※ 이 표는 자신의 취약 영역과 취약 유형을 한눈에 파악하게 합니다.
(자주 틀리거나 취약하다고 생각하는 유형은 7가지 독해 방법을 다시 한번 숙지하고 다음 단계로 넘어가기 바랍니다.)

1. 각 회차의 유형에 정답을 맞혔으면 'O'표를 틀렸으면 'X'표를 하세요.
2. 제재별 '소계'에 유형별로 맞은('O'표) 개수를 쓰세요.
3. 많이 틀리는 유형이 한눈에 보이므로 자신의 부족한 부분을 진단하고 보완하세요.
4. 영역별로 맞힌 개수를 적고, 부족한 부분을 파악해 보세요.

> 글을 읽고 문제를 풀 때는, 가장 먼저 '사실이해 유형(3번)'을 유념해 보아 두어야 합니다. 글 읽기는 주어진 글의 사실 이해로부터 출발해야 하기 때문입니다.

미루어 알기(추론) 유형(4번)
글에 나타난 사실에 미루어 짐작해 본 내용

설명하는 글과 **주장하는 글**에서는 선택지에 나타난 내용이, 글의 어떤 내용으로부터 이끌어낸 생각인지 찾아보고, **이야기**에서는 인물의 말이나 행동, 사건의 진행 과정 등을 파악하면서 추리해보며, **시**에서는 고백하는 말 뒤에 숨겨진 느낌이나 생각을 떠올려본다.

세부내용 유형(5번)
글의 모양, 어휘의 뜻, 어법, 글과 관련된 배경 지식 등

설명하는 글과 **주장하는 글**에서는 낱말의 뜻, 접속하는 말의 구실, 고사성어 등을 알아두고, **이야기**는 글을 읽으면서 배경을 알려주는 말이 나오면 어떤 시간이나 장소인지 정리하며, **시**는 비유나 상징에 숨어 있는 뜻을 새길 수 있어야 한다.

적용하기 유형(6번)
글의 내용을 바탕으로 새로운 생각을 떠올려보거나, 다른 일에 응용할 수 있는 능력

설명하는 글과 **주장하는 글**에서는 글을 읽어서 알게 된 내용을 다른 일에 적용할 수 있는지 알아보는 문항이 출제되고 **이야기**는 글에 나타난 대로 새로운 인물이나 사건, 배경을 그려 보일 수 있는지 묻는다. **시**는 말하는 사람의 느낌이나 생각을 정확히 이해 하는지 묻는다.

요약하기 유형(7번)
글의 전체 또는 주요 내용을 간추리는 능력

설명하는 글과 **주장하는 글**에서는 중심 내용을 간추릴 수 있는지 측정하려는 문항이다. **이야기**는 '사실이해 3'처럼 주요한 사건을 다시 확인하는 유형이 출제되기가 쉽다. 이유형은 **시**에서는 내용 흐름에 따라 중심 내용을 정리한다.

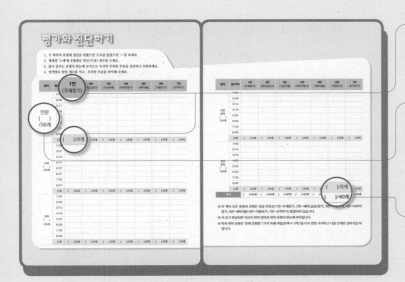

유형별로 한눈에 실력을 파악할 수 있게 하였습니다.
예)인문제재에서 주제찾기 유형(1번)은 8문항 중 몇 개를 맞고 틀렸는지 한 눈에 파악이 됩니다.

글의 갈래를 표시했습니다. 인문, 사회, 과학, 이야기, 시의 5개 영역의 정답률을 표 하나에 알 수 있어 자신의 취약 글의 갈래가 어떤 것인지 한 눈에 알 수 있습니다.
예)인문제재 56문항 중 몇 개를 틀렸는지 한 눈에 파악이 되어 자신의 부족한 점을 보충할 수 있습니다.

모든 글에서 자신의 부족한 유형이 무엇인지 한 눈에 파악할 수 있습니다.
예)적용하기 유형(6번)에서 총 40문항 중 정답은 몇 개고 오답은 몇 개인지를 알아서 독해 실력을 자가 진단합니다.

2단계 목차

5 주차

6 주차

7 주차

8 주차

『독해력키움』은,

본문이든 그 아래의 문항이든 아이들이 스스로의 힘으로 이해할 수 있도록 꾸몄습니다. 되도록 간섭은 줄이고, 부모님이나 선생님, 그 밖의 다른 분들께서 아이를 도와주실 때는 다음에 유의하십시오.

01

글이나 문제에서 뜻을 모르는 낱말이 있다고 할 때는, 그 낱말의 앞이나 뒤에 놓인 다른 말과 연결하여 미루어 뜻을 떠올려 볼 수 있도록 힘을 키워주십시오. 섣불리 사전을 찾도록 한다거나 글 전체, 문제 전부를 풀이해주었다가는 의존하는 버릇만 들이게 할 것입니다.

02

회가 끝날 때마다 붙어있는 문항 풀이의 결과를 자주 확인하여, 아이의 약점을 파악하고 자주 틀리거나 이해가 부족한 문항 유형을 중심으로, 그 문항 유형의 어려움을 극복하기 위해서 무엇을 고치고 보완해야 하는지 깨닫게 해주십시오. 고칠 점, 보완해야 할 점은 『독해력키움』의 해설을 보면 잘 나와 있습니다.

03

주관식 문제의 채점 기준을 예시해두겠습니다. 한 낱말이나 빈칸이 정해진 하나의 구절로 답하는 문제에서는 모범 답안과 모양과 내용이 일치하는 답안만 만점으로 합니다. 모양은 다르지만 빈칸의 수가 같고 내용이 비슷한 답안은 비슷한 정도에 따라 점수를 낮추어 채점합니다.

여러 개의 낱말로 답하는 문제에서는 배점에 문항 수를 나누어 정답에 비례하여 채점합니다. 하나의 구절이나 문장으로 답하는 문제에서는 미리 주어진 조건을 고려하여 모범 답안의 내용과 일치하는 정도에 따라 점수를 주어야 할 것입니다. 그 기준은 도와주는 사람이 정해야 합니다.

1주차

회차 / 영역	제목	계획 및 점검
01 인문|설명문	푸른숲식물원 • 나는 □월 □일 □시에 공부할 것입니다.	• 독해력에서 나의 점수는 □점입니다. • 어휘력에서 맞은 문제수는 □개 / 10개 입니다. • 어려웠던 문제는 _____ 번입니다.
02 인문|설명문	떡 이름 • 나는 □월 □일 □시에 공부할 것입니다.	• 독해력에서 나의 점수는 □점입니다. • 어휘력에서 맞은 문제수는 □개 / 9개 입니다. • 어려웠던 문제는 _____ 번입니다.
03 과학|설명문	날씨는 변덕쟁이 • 나는 □월 □일 □시에 공부할 것입니다.	• 독해력에서 나의 점수는 □점입니다. • 어휘력에서 맞은 문제수는 □개 / 9개 입니다. • 어려웠던 문제는 _____ 번입니다.
04 산문문학|이야기	동물 마을에서 생긴 일 • 나는 □월 □일 □시에 공부할 것입니다.	• 독해력에서 나의 점수는 □점입니다. • 어휘력에서 맞은 문제수는 □개 / 9개 입니다. • 어려웠던 문제는 _____ 번입니다.
05 운문문학|시	잠자는 사자 • 나는 □월 □일 □시에 공부할 것입니다.	• 독해력에서 나의 점수는 □점입니다. • 어휘력에서 맞은 문제수는 □개 / 9개 입니다. • 어려웠던 문제는 _____ 번입니다.

• 이번 주 독해력 문제에서 나의 점수는 평균 □점입니다.

• 이번 주 어휘력에서 맞은 문제수는 모두 □개입니다.

식물원은 식물의 연구나 사람들의 관람을 위하여 다양한 식물을 수집하고 재배하는 공간입니다. 여러분은 어떤 식물원을 가 보았나요? 아직 가 보지 않았더라도 주변의 다양한 식물들을 떠올리며 글을 읽어 보면 되어요.

점수 계산   1. 15점   2. 15점   3. 10점   4. 15점   5. 15점   6. 15점   7. 15점

우리 푸른숲식물원에는 울창한 나무 사이로 오솔길❶이 나 있습니다. 이곳에 오면 전나무, 잣나무, 소나무 향을 맡으며 흙을 밟고 걸으실 수 있습니다.

오솔길이 끝나는 곳에 꽃 정원이 있습니다. ㉠이곳에는 예부터 우리나라의 산과 들에서 자라 온 여러 가지 꽃이 피어 있습니다. 범부채꽃, 구절초꽃, 패랭이꽃 등 주변에서 흔히 볼 수 없는 들꽃❷이 있습니다.

채소밭에는 채소들이 햇빛을 받으며 푸릇푸릇하게 자라고 있습니다. 오이, 상추, 고추, 호박 등의 채소가 자라는 모습과 열매 맺는 모습을 보실 수 있습니다.

푸른숲식물원에서 ㉡아름다운 자연을 느끼시기 바랍니다.

낱말 풀이   ❶ 오솔길 폭이 좁은 호젓한 길.   ❷ 들꽃 들에 피는 꽃, 야생화.

1 무엇을 위해 쓴 글입니까? ———————————————————— (   )

주제찾기

① 장소를 소개하기 위해

② 나의 불만을 터놓기 위해

③ 가고 싶은 곳을 알리기 위해

④ 상대방의 의견을 물어보기 위해

⑤ 책에서 읽은 내용을 정리하기 위해

2 글감으로 삼기 위해 글에 두 번 나타난 여섯 글자의 낱말을 쓰세요.

글감찾기

3 글에 나온 풍경이 <u>아닌</u> 것을 고르세요. ———————————————— (   )

사실이해

① 울창한 나무

② 오솔길

③ 꽃 정원

④ 채소밭

⑤ 푸른 바다

4 ㉠이 가리키는 것은 무엇입니까? ———————————————————— (   )

미루어알기

① 푸른숲식물원

② 울창한 나무

③ 꽃 정원

④ 온갖 종류의 들꽃

⑤ 여러 가지의 채소

5 ⓒ과 관련하여 글에 나타나지 <u>않은</u> 것을 고르세요. ──────── ( )

세부내용

① 소나무의 향
② 열매 맺는 모습
③ 채소가 자라는 모습
④ 사슴이 뛰노는 움직임
⑤ 흔히 볼 수 없는 들꽃의 모습

6 다음 식물 중에서 쓰임새가 나머지 넷과 <u>다른</u> 하나를 고르세요. ──── ( )

적용하기

① 오이
② 토마토
③ 고추
④ 채송화
⑤ 쑥갓

7 푸른숲식물원에서 볼 수 있는 것을 아래와 같이 간추렸습니다. 빈칸에 알맞은 말

요약하기

을 쓰세요.

① ☐☐☐	나무의 향을 맡으며 흙을 밟고 걸을 수 있음.
꽃 정원	주변에서 흔히 볼 수 없는 ② ☐☐ 을 볼 수 있음.
③ ☐☐☐	채소가 자라는 모습과 열매 맺는 모습을 볼 수 있음.

어휘 넓히기

뜻 낱말의 뜻풀이로 알맞은 것을 보기 에서 골라 괄호 안에 기호를 쓰세요.

(1) 울창하다 (　　　)

(2) 정원　　　(　　　)

(3) 흔히　　　(　　　)

보기
> ㉠ 나무가 빽빽하게 우거지고 푸르다.
> ㉡ 보통보다 더 자주 있거나 일어나서 쉽게 접할 수 있게.
> ㉢ 집 안에 있는 뜰이나 꽃밭.

다지기 아래 문장의 빈칸에 알맞은 낱말을 보기 에서 찾아 쓰세요.

보기
울창	흔히	정원

(1) ☐☐ 의 꽃나무에 새싹이 돋았다.

(2) 산에 나무가 ☐☐ 하다.

(3) 이 풀은 어디에서나 ☐☐ 볼 수 있다.

넓히기 밑줄 친 낱말을 맞춤법에 맞게 고쳐 보세요.

(1) 오솔낄이 나 있습니다.

→ ☐☐☐

(2) 열매 맷는 모습을 보실 수 있습니다.

→ ☐☐

(3) 숩 속에서 다람쥐를 보았습니다.

→ ☐

(4) 흘글 파서 씨를 심었습니다.

→ ☐☐

시간 공부 날짜 ☐ 월 ☐ 일

푸는데 걸린 시간 ☐ 분

확인 맞은 개수 써보기

독해	☐ 개/7개	어휘	☐ 개/10개

여러분은 언제 떡을 먹나요? 우리나라에서는 전통적으로 생일이나 명절, 큰 잔치가 있는 날에 떡을 해 먹었답니다. 그리고 그 떡에는 나름의 의미가 있다고 해요. 그 의미와 다양한 떡 이름을 같이 살펴보며 글을 읽어 봅시다.

점수
계산 1. [15점] 2. [15점] 3. [10점] 4. [15점] 5. [15점] 6. [15점] 7. [15점]

엄마가 지윤이를 불렀어요.

"지윤아, 내일이 네 동생 생일이야. 그래서 동생이 좋아하는 떡을 많이 했단다."

"엄마, 이 떡은 이름이 뭐예요?"

"이 떡은 부꾸미라고 한단다. 기름을 둘러서 불에 지진 떡이지."

"재미있는 이름이네요. 그럼 이 떡은요?"

"이 떡은 무지개떡이란다. 여러 가지 빛깔을 넣어 만든 떡이야."

"정말 맛있어 보여요. 그런데 엄마, 이 떡은 모양이 떡 같지 않아요."

"그렇지? 이 떡은 모양을 아무렇게나 만들었다고 해서 개떡이라고 한단다."

"그럼, 우리가 태어나서 처음 맞이한 생일에는 어떤 떡을 먹었지요?"

"아기가 태어나 처음 맞이하는 생일을 '돌'이라고 하지. 돌이 되면 사람들을 초대해서 잔치를 열었는데, 이때 돌이나 백일 때 상에 꼭 올라오는 떡이 있어. 바로 백설기❶와 수수경단❷이야. 백설기는 쌀가루에 설탕을 섞어 찐 떡으로, 아기가 건강하게 오래 살기를 바라는 마음이 담겨 있어. 한입에 먹기 좋도록 작고 둥글게 만든 수수경단에는 콩가루나 팥이 묻어 있는데,

이는 나쁜 기운을 물리치려는 뜻이 담겨 있단다."

"떡 이름에는 재미있는 토박이말이 많네요."

낱말풀이 ❶ 백설기 시루떡의 하나. 멥쌀가루를 켜를 얇게 잡아 켜마다 고물 대신 흰 종이를 깔고, 물 또는 설탕물을 내려서 시루에 안쳐 깨끗하게 쪄 낸다. ❷ 수수경단 찰수수 가루를 찬물에 반죽하여 둥글게 빚어 녹말을 묻히고 삶아서 냉수에 건져 식힌 다음 팥고물을 묻히거나 꿀물에 적신 음식.

1
주제찾기

글에서 설명한 중심 내용을 간추렸어요. 빈칸에 알맞은 낱말을 넣으세요.

> 토박이말이 들어간 ☐ ☐ ☐

2
제목찾기

글의 내용과 잘 어울리는 제목은 어느 것입니까? ──────── (   )

① 동생의 생일
② 재미있는 떡 이름
③ 내가 좋아하는 토박이말
④ 동생이 좋아하는 떡
⑤ 돌잔치의 상차림

3
사실이해

글에 나타나지 <u>않은</u> 떡 이름을 고르세요. ──────── (   )

① 부꾸미   ② 무지개떡
③ 백설기   ④ 인절미
⑤ 수수경단

4
미루어알기

글을 읽고 새롭게 떠올리게 된 내용은 무엇입니까? ──────── (   )

① '나'는 떡을 좋아한다.
② 무지개떡은 개떡이다.
③ 처음 맞이한 생일이 백일이다.
④ 백설기에는 아기의 고운 마음이 담겨 있다.
⑤ 팥은 붉은 색을 띠어서 나쁜 기운을 물리칠 수 있다고 믿었다.

5
세부내용

떡을 만드는 방법을 잘 설명한 말은 어느 것입니까? —————————— ( )

① 동생이 좋아하는
② 나쁜 기운을 물리치려는
③ 기름을 둘러서 불에 지진
④ 돌이나 백일 때 상에 꼭 올라오는
⑤ 아기가 건강하게 오래 살기를 바라는

6
적용하기

이 글로 미루어 볼 때 다음 떡들 중, 공통점이 없는 것을 고르세요. ———— ( )

① 쑥개떡　　　　　　　② 모시개떡
③ 보리개떡　　　　　　④ 콩쑥개떡
⑤ 무지개떡

7
요약하기

글에 나온 떡에 대해 아래와 같이 간추렸습니다. 빈칸에 알맞은 말을 쓰세요.

떡이름	설명
① ☐☐☐	- 기름을 둘러서 불에 지진 떡
② ☐☐☐☐	- 여러 가지 빛깔을 넣어 만든 떡
③ ☐☐	- 모양을 아무렇게나 만든 떡
백설기	- 쌀가루에 설탕을 섞어 찐 떡 - 아기가 ④ ☐☐ 하게 오래 살기를 바라는 마음에서 돌상에 올림
수수경단	- 콩가루나 팥이 묻어 있는 떡 - ⑤ ☐☐☐☐ 을 물리치려는 뜻으로 돌상에 올림

어휘 넓히기

뜻 낱말의 뜻풀이로 알맞은 것을 보기에서 골라 괄호 안에 기호를 쓰세요.

(1) 지지다 (　　)

(2) 두르다 (　　)

(3) 맞이하다 (　　)

> **보기**
> ㉠ 겉면에 기름을 고르게 바르거나 얹다.
> ㉡ 부쳐 익히다.
> ㉢ 오는 것을 맞다.

다지기 아래 문장의 빈칸에 알맞은 낱말을 보기에서 찾아 쓰세요.

> **보기**
> 맞이하다　　　두르다　　　지지다

(1) 두부를 노릇하게 ☐☐☐.

(2) 프라이팬에 기름을 ☐☐☐.

(3) 문 앞에서 손님을 ☐☐☐☐.

넓히기 밑줄 친 낱말을 맞춤법에 맞게 고쳐 보세요.

(1) 동생이 좋아하는 떡을 많이 <u>햇단다</u>.

→ ☐☐☐

(2) 바라는 마음이 담겨 <u>잇어</u>.

→ ☐☐

(3) <u>옆짚</u> 돌잔치에 갔다오는 길이다.

→ ☐☐

시간 공부 날짜 ☐월 ☐일
푸는데 걸린 시간 ☐분

확인 맞은 개수 써보기

독해	☐개/7개	어휘	☐개/9개

03

점수
계산   1. 15점   2. 15점   3. 10점   4. 15점   5. 15점   6. 15점   7. 15점

"야, 연을 띄우자."

바람 부는 날에는 역시 연날리기가 최고예요.

연이 이리저리 바람을 타고 날아요.

바람은 공기가 움직이면서 생기는 거예요.

쫙쫙 퍼졌다가 다시 동글동글 뭉치는 구름은 요술쟁이.

둥실둥실 하늘을 떠다니는 개구쟁이 친구들이죠.

"와! 푹신푹신 솜사탕 같다."

구름은 하늘 위에 떠 있는 물방울이랍니다.

갑자기 검은 구름이 몰려들고 하늘이 흐려져요.

뚝! 뚝! 뚝! "앗, 비가 오잖아. 우산을 써야겠다."

후두둑 빗방울이 떨어지더니 주룩주룩 비가 내리네요.

구름 속 물방울들이 커져 무거워지면 비가 되어 내리지요.

시커먼 하늘에 불빛이 번쩍번쩍 커다란 소리가 쿠르릉 쾅.

"으악, 하늘에 전기가 올랐나 봐."

번개가 빛을 내고, 천둥이 소리를 낸 거예요.

뜨거운 번개❶가 번쩍 빛을 내면 큰 천둥소리가 나지요.

비가 그치고 햇살이 하늘 가득 퍼져요.

어, 그런데 하늘에 고운 무지개가 ㉠떴네요.

빨, 주, 노, 초, 파, 남, 보, 정말 예뻐요.

공중에 떠 있던 물방울에 햇빛이 비치면서 일곱 빛깔의 무지개가 생겼지요.

"헉헉, 아, 덥다 더워. 햇볕이 너무 뜨거워."

"야, 우리 물놀이 가자, 이럴 땐 물놀이가 최고지."

푹푹 찌는 더위에 가만히 있어도 땀이 줄줄 흘러요.

뜨거운 태양 빛을 받아 땅과 공기가 데워져 더운 거예요.

 낱말 풀이 ❶ 번개 구름과 구름, 구름과 땅 사이에서 공중 전기가 흐르면서 일어나 번쩍이는 불꽃.

1
주제찾기

어떤 내용에 초점을 맞춘 글입니까? ──────────────── (   )

① 공기의 움직임   ② 개구쟁이 친구들

③ 날씨의 여러 모습   ④ 구름과 물방울의 관계

⑤ 더위를 몰고 오는 햇빛

2
글감찾기

글 전체의 내용에서 떠올린 글감을 한 낱말로 쓰세요.

3
사실이해

글에서 설명하지 <u>않은</u> 것은 무엇입니까? ──────────── (   )

① 바람   ② 구름   ③ 번개

④ 천둥   ⑤ 얼음

4
미루어알기

'하늘에 생긴 전기'라고 할 수 있는 것은 무엇입니까? ──────── (   )

① 바람   ② 구름   ③ 비

④ 번개   ⑤ 눈

5

세부내용

㉠과 비슷한 뜻을 지닌 것을 고르세요. ───────────────── ( )

① 연이 공중에 <u>떴네요</u>.

② 날이 밝아 눈을 <u>떴네요</u>.

③ 어둡기 전에 길을 <u>떴네요</u>.

④ 아랫목에서 메주가 잘 <u>떴네요</u>.

⑤ 한 바가지의 물을 우물에서 <u>떴네요</u>.

6

적용하기

'하늘바라기'로 어떤 곳을 고르면 좋을까요? ───────────── ( )

하늘바라기: 물을 대기 어려워 빗물이 있어야 벼를 키울 수 있는 논.

① 바람이 많이 부는 곳

② 풀이 많이 자란 곳

③ 비가 내리지 않는 곳

④ 비가 자주 내리는 곳

⑤ 더위가 오래 계속되는 곳

7

요약하기

글에 나온 날씨의 변화를 아래와 같이 간추렸습니다. 빈칸에 알맞은 말을 쓰세요.

① ☐☐ 부는 날 → 하늘에 떠 있는 ② ☐☐ →

내리는 ③ ☐ → 번개와 천둥소리 → 비 갠 뒤의 ④ ☐☐☐

→ 태양에 공기가 데워져 더워짐

어휘 넓히기

뜻 낱말의 뜻풀이로 알맞은 것을 보기 에서 골라 괄호 안에 기호를 쓰세요.

(1) 이리저리 (　　　)

(2) 공중 　　(　　　)

(3) 푹신푹신 (　　　)

> 보기
> ㉠ 이쪽저쪽으로 일정하지 않게.
> ㉡ 여럿이 다 또는 매우 푸근하게 부드럽고 탄력이 있는 느낌.
> ㉢ 하늘과 땅 사이의 빈 곳.

다지기 아래 문장의 빈칸에 알맞은 낱말을 보기 에서 찾아 쓰세요.

> 보기
> 푹신푹신　　　공중　　　이리저리

(1) 새는 ☐☐ 을 마음껏 날아다닌다.

(2) 꿀벌들은 꽃 사이를 ☐☐☐☐ 날아다녔다.

(3) 거실 의자가 ☐☐☐☐ 해서 앉기 편하다.

넓히기 밑줄 친 낱말을 맞춤법에 맞게 고쳐 보세요.

(1) 역시 연날리기가 <u>채고</u>예요.

→ ☐☐

(2) 비가 그치고 햇살이 하늘 가득 <u>퍼저요</u>.

→ ☐☐☐

(3) 내 친구 민주는 <u>개구장이</u>예요.

→ ☐☐☐☐

시간 공부 날짜 ☐ 월 ☐ 일
푸는데 걸린 시간 ☐ 분

확인 맞은 개수 써보기

독해	☐ 개／7개	어휘	☐ 개／9개

04

어떤 일이 일어났기에 평화롭던 동물 마을이 시끌벅적해진 걸까요? 동물들을 큰 고민에 빠뜨린 사건이 무엇인지, 또 어떻게 해결하면 좋을지 함께 생각해 보며 읽어 봅시다.

점수계산 1. 15점 2. 15점 3. 10점 4. 15점 5. 15점 6. 15점 7. 15점

평화롭던 동물 마을에 큰 소동이 벌어졌어요. 숲 한가운데에 넓은 찻길이 생긴 거예요. 그 ㉠바람에 마을 밖으로 나가는 길이 끊겨 버렸어요. 쌩쌩 달리는 자동차가 무서워서 찻길을 건널 수가 없었거든요. 무리하게 길을 건너려다가 크게 다치거나 죽는 동물들도 생겨났어요. 동물들은 모두 걱정이 커졌어요.

고라니가 한숨을 푹 쉬며 말했어요.

"큰일이야, 이래서는 먹이를 구하러 갈 수가 없어."

그러자 들고양이도 훌쩍이며 말했어요. / "나는 헤어진 가족을 만나고 싶어."

두꺼비가 부럽다는 눈초리로 종달새를 바라보며 말했어요.

"새들은 좋겠다. 훨훨 날아서 찻길을 넘어갈 수 있으니까."

그러자 종달새가 머리를 휘휘 저으며 말했어요.

"우리도 안전하지 않아. 찻길 근처에서 낮게 날면 차가 일으키는 바람에 휘말리기 쉽거든. 나도 위험할 뻔했다고."

다람쥐는 차가 쌩쌩 달리는 찻길을 바라보며 말했어요.

"어떻게 하면 안전하게 마을 밖으로 나갈 수 있을까?"

동물들은 고민에 빠졌어요.

1
주제찾기

어떤 사건이 가장 중요합니까? ──────────────────── (   )

① 동물 마을에 찻길이 생겼다.

② 숲속이 갑자기 소란스러워졌다.

③ 길을 건너던 동물들이 크게 다쳤다.

④ 숲에 사는 길짐승들의 먹이가 없어졌다.

⑤ 큰길을 가던 차가 회오리바람을 일으켰다.

2
제목찾기

빈칸을 채워 글의 제목을 붙이세요.

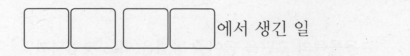

| | | | |에서 생긴 일

3
사실이해

이야기에 등장하지 <u>않은</u> 동물은 무엇입니까? ──────── (   )

① 고라니   ② 다람쥐

③ 종달새   ④ 개구리

⑤ 들고양이

4
미루어알기

등장하는 동물의 마음을 짐작할 수 있도록 하는 말은 어느 것입니까? ─── (   )

① 먹이를 구하러

② 한숨을 푹 쉬며

③ 길을 건너려다가

④ 종달새를 바라보며

⑤ 바람에 휘말리기 쉽거든

5

세부내용

㉠과 같은 뜻으로 쓰인 것을 고르세요. ─────────────────── (   )

① 바람이 분다.

② 바람이 시원하다.

③ 나의 바람은 의외로 소박하다.

④ 늦잠 자는 바람에 지각했다.

⑤ 바람이 얼굴에 몰아쳤다.

6

적용하기

동물들의 고민을 덜어줄 방법은 어느 것입니까? ─────────────── (   )

① 길을 건너지 않도록 가르친다.

② 동물들이 떼를 지어 가도록 한다.

③ 움직임이 빠른 동물만 마을에 남는다.

④ 어른 동물들이 어린이 동물을 이끌게 한다.

⑤ 큰길 아래쪽에 안전한 길을 새로 만들어준다.

7

요약하기

이야기를 아래와 같이 간추렸습니다. 빈칸을 채워 완성하세요.

숲 한가운데 넓은 ① ☐☐ 이 생겼다. 그래서 어떻게 하면 마을 밖으로 ② ☐☐ 하게 나갈 수 있을지 동물들은 ③ ☐☐ 에 빠졌다.

어휘 넓히기

해설편 02쪽

뜻 낱말의 뜻풀이로 알맞은 것을 보기 에서 골라 괄호 안에 기호를 쓰세요.

(1) 휘말리다 (　　)

(2) 한숨　　 (　　)

(3) 훌쩍이다 (　　)

> 보기
> ㉠ 콧물을 들이마시면서 자꾸 흐느껴 울다.
> ㉡ 걱정이 있거나 서러울 때, 또는 긴장이 풀려 안도할 때 길게 몰아서 내쉬는 숨. 잠깐 동안의 휴식이나 잠.
> ㉢ 휩쓸려 들어가다. 다른 사람의 꾐에 빠져 그 사람의 뜻대로 행동하게 된다.

다지기 아래 문장의 빈칸에 알맞은 낱말을 보기 에서 찾아 쓰세요.

> 보기
> 훌쩍이는　　　휘말려서　　　한숨

(1) 나도 모르게 [　][　]이 새어 나왔다.

(2) 슬픈 장면에서 여기저기 [　][　][　][　] 소리가 났다.

(3) 배가 소용돌이에 [　][　][　][　] 가라앉았다.

넓히기 밑줄 친 낱말을 맞춤법에 맞게 고쳐 보세요.

(1) <u>평화롭던</u> 동물 마을에 큰 소동이 벌어졌어요.

　→ [　][　][　][　]

(2) 동물들은 고민에 <u>빠져써요</u>.

　→ [　][　][　][　]

(3) <u>해어진</u> 가족들은 얼마나 슬플까?

　→ [　][　][　]

시간 공부 날짜 [　]월 [　]일

푸는데 걸린 시간 [　]분

확인 맞은 개수 써보기

| 독해 | [　]개/7개 | 어휘 | [　]개/9개 |

05

경험이란 자신이 한 일, 본 일, 들은 일을 말하지요. 피곤해 보이는 가족을 위해 어떤 일을 해준 경험이 있나요? 자신의 경험을 떠올려 보며 시를 읽어 봅시다.

점수
계산

1. 15점 2. 10점 3. 15점 4. 15점 5. 15점 6. 15점 7. 15점

으르렁 드르렁

드르르르 푸우–

아버지 콧속에서

사자 한 마리

㉠울부짖고 있다.

생쥐처럼 살금살금

양말을 벗겨 드렸다.

1

주제찾기

시에 떠올린 아이의 마음은 무엇입니까? —————————— ( )

① 사자를 신기해하는 마음

② 잠들기를 기다리는 마음

③ 편안히 주무시길 바라는 마음

④ 울부짖는 사자를 몹시 무서워하는 마음

⑤ 잠에서 깨어나 함께 놀아주기를 원하는 마음

2

제목찾기

시에서 아버지의 코 고는 소리를 무엇에 빗대었나요? 빈칸을 채워 봅시다.

| | |의 울음소리

3

사실이해

㉠을 소리로 표현한 것을 찾아 빈칸을 채우세요.

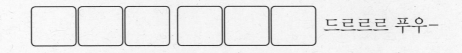 드르르르 푸우–

4

미루어알기

아버지는 어떤 상태에 놓여 있습니까? —————————— ( )

① 지루하다

② 상쾌하다

③ 피곤하다

④ 설레다

⑤ 기쁘다

5

세부내용

장면을 생생하게 그리기 위해 사용한 표현 방법은 무엇입니까? 빈칸을 채우세요.

(   )

		소리

① 흉내
② 우는
③ 먹는
④ 산새
⑤ 바람

6

적용하기

이 시를 만화로 그리려면 그림으로 그려야할 장면은 몇 개가 알맞을까요? (   )

① 1개
② 2개
③ 3개
④ 4개
⑤ 5개

7

요약하기

이 시의 내용을 아래와 같이 간추렸습니다. 빈칸에 알맞은 낱말을 시에서 찾아 채우세요.

피곤해서 잠든 아버지가 ① ☐☐ 처럼 코를 곤다.

아버지를 깨우지 않으려고 ② ☐☐ 처럼 살금살금 양말을 벗겨 드렸다.

어휘 넓히기

뜻 낱말의 뜻풀이로 알맞은 것을 보기 에서 골라 괄호 안에 기호를 쓰세요.

(1) 울부짖다 (　　　)

(2) 살금살금 (　　　)

(3) 벗기다　 (　　　)

보기
ㄱ 몸에 착용한 물건을 몸에서 떼어 내게 하다. 누명, 치욕 따위를 씻다. 가죽이나 껍질 따위를 떼어 내다.
ㄴ 크게 소리를 내어 울며 부르짖다.
ㄷ 남이 알아차리지 못하도록 눈치를 살펴 가면서 살며시 행동하는 모양.

다지기 아래 문장의 빈칸에 알맞은 낱말을 보기 에서 찾아 쓰세요.

보기
울부짖는　　　　벗기려고　　　　살금살금

(1) 내 모자를 [　][　][　][　] 다가오는 걸 눈치챘다.

(2) 골짜기에서 늑대가 [　][　][　][　] 소리가 들려왔다.

(3) 고양이 한 마리가 창틀을 [　][　][　][　] 넘고 있었다.

넓히기 밑줄 친 낱말을 맞춤법에 맞게 고쳐 보세요.

(1) 사자 한 마리 울부짇고 있다.

→ [　][　][　][　]

(2) 양말을 벗껴 드렸다.

→ [　][　]

(3) 코속에서 삐익하고 소리가 났다.

→ [　][　][　][　]

시간 공부 날짜 [　] 월 [　] 일

푸는데 걸린 시간 [　] 분

확인 맞은 개수 써보기

| 독해 | [　]개 /7개 | 어휘 | [　]개 /9개 |

어휘 보기의 낱말을 보고, 뜻과 어울리는 것을 골라 아래의 빈칸에 써보세요.

보기

공중   정원   벗기다   한숨   살금살금   훌쩍이다

1. 집 안에 있는 뜰이나 꽃밭.

2. 하늘과 땅 사이의 빈 곳.

3. 걱정이 있거나 서러울 때 또는 긴장이 풀려 안도할 때 길게 몰아서 내쉬는 숨.

4. 남이 알아차리지 못하도록 눈치를 살펴 가면서 살며시 행동하는 모양.

5. 가죽이나 껍질 따위를 떼어 내다.

6. 콧물을 들이마시면서 자꾸 흐느껴 울다.

어법 다음 중 맞춤법에 맞는 것을 골라 동그라미 하세요.

1. [오솔낄 / 오솔길] 사이에 핀 꽃들.   2. 물감이 [퍼져요 / 퍼저요].

3. [최고 / 채고]로 멋진 나.   4. [평하롭던 / 평화롭던] 마을

5. [울부짖고 / 울부짓고] 있었다.   6. 사랑에 [빠져써요 / 빠졌어요].

7. 맛있는 [무지게떡 / 무지개떡].   8. [엽집 / 옆짚 / 옆집]에 산다.

확인 나의 점수 확인하기

어휘	개 / 6개	어법	개 / 8개

회차 / 영역	제목	계획 및 점검
06 인문|설명문	소개하기 • 나는 ☐월 ☐일 ☐시에 공부할 것입니다.	• 독해력에서 나의 점수는 ☐점입니다. • 어휘력에서 맞은 문제수는 ☐개 / 9개 입니다. • 어려웠던 문제는 _____ 번입니다.
07 인문|설명문	낱말을 바르고 정확하게 쓰기 • 나는 ☐월 ☐일 ☐시에 공부할 것입니다.	• 독해력에서 나의 점수는 ☐점입니다. • 어휘력에서 맞은 문제수는 ☐개 / 9개 입니다. • 어려웠던 문제는 _____ 번입니다.
08 과학|설명문	숲속의 멋쟁이 곤충 • 나는 ☐월 ☐일 ☐시에 공부할 것입니다.	• 독해력에서 나의 점수는 ☐점입니다. • 어휘력에서 맞은 문제수는 ☐개 / 9개 입니다. • 어려웠던 문제는 _____ 번입니다.
09 산문문학|이야기	이름 짓기 가족회의 • 나는 ☐월 ☐일 ☐시에 공부할 것입니다.	• 독해력에서 나의 점수는 ☐점입니다. • 어휘력에서 맞은 문제수는 ☐개 / 9개 입니다. • 어려웠던 문제는 _____ 번입니다.
10 운문문학|시	숨바꼭질하며 • 나는 ☐월 ☐일 ☐시에 공부할 것입니다.	• 독해력에서 나의 점수는 ☐점입니다. • 어휘력에서 맞은 문제수는 ☐개 / 9개 입니다. • 어려웠던 문제는 _____ 번입니다.

• 이번 주 독해력 문제에서 나의 점수는 평균 ☐점입니다.

• 이번 주 어휘력에서 맞은 문제수는 모두 ☐개입니다.

 여러분의 짝은 누구인가요? 가족들에게 소개한다면 무슨 말을 하고 싶나요? 나라면 나의 짝을 어떻게 소개할지 생각해 보며 글을 읽어 봅시다.

 점수 계산

1. 15점   2. 15점   3. 10점   4. 15점   5. 15점   6. 15점   7. 15점

이번 달 제 짝은 김태원입니다.

태원이는 남자아이이고 마음씨가 참 착합니다. 태원이는 달리기를 잘합니다.

제가 소개하려는 친구는 조현정입니다. 현정이를 소개하려는 까닭은 이번 달 제 짝이 되었기 때문입니다.

현정이는 얼굴이 둥글고 항상 웃습니다. 친구들에게 친절하게 대하여 주고 우리 반에서 노래를 가장 잘합니다.

현정이는 모둠❶활동을 할 때 저를 많이 도와주었습니다. 수업 시간에 항상 열심히 공부하고 선생님께 칭찬을 많이 받는 현정이가 부럽습니다.

제 짝도 소개할게요. 이름이 박대현인데, 아마 큰 뜻이 담겨있는가 봐요. 책 읽는 일이 버릇이래요. 우리가 보기에도 그래요.

책 읽기를 즐겨서 그런지 컴퓨터나 스마트폰 같은 전자 기기❷는 멀리해요. 그래서 눈은 초롱초롱하고 생김새가 늠름해요. 다른 아이들하고도 잘 어울리는 편이에요.

 낱말 풀이
❶ 모둠 초·중등학교에서, 학습의 효과를 높이기 위하여 학생들을 작은 규모로 묶은 모임. ❷ 전자 기기 전자들의 운동에 바탕을 두고 만든 소자(장치, 전자 회로 따위의 구성 요소가 되는 낱낱의 부품)와 그것들로 이루어진 기계, 기구.

1 여러 친구가 모두 설명하고 있는 내용은 무엇입니까? ──────── (　　)

주제찾기

① 자신의 짝이 된 친구
② 달리기를 잘하는 친구
③ 웃으며 친절하게 남을 대하기
④ 모둠 활동을 할 때 도와준 고마움
⑤ 책 읽는 버릇이 만들어낸 친구의 생김새

2주 06회

해설편 03쪽

2 글에서 누구를 소개하고 있는지 찾아 쓰세요.

글감찾기

3 소개의 말을 하게 된 까닭은 무엇입니까? ──────── (　　)

사실이해

① 착하므로
② 노래를 잘하므로
③ 짝이 되었기 때문에
④ 열심히 공부하기 때문에
⑤ 생김새가 늠름하기 때문에

4 글을 읽고 떠올린 생각으로 알맞지 <u>않은</u> 것을 고르세요. ──────── (　　)

미루어알기

① 어떤 모습인지 소개하면 좋다.
② 친구가 잘하는 것을 소개하면 좋다.
③ 친구의 이름과 성별을 소개하면 좋다.
④ 이름을 들으면 그 사람의 마음씨를 알 수 있다.
⑤ 듣는 사람이 이미 알고 있는 내용은 소개하지 않는 게 좋다.

5 세부내용

자신도 그렇게 되고 싶은 마음을 드러낸 말은 어느 것입니까? ―――――― (   )

① 멀리해요.

② 소개할게요.

③ 때문입니다.

④ 부럽습니다.

⑤ 버릇이래요.

6 적용하기

내 짝에게 우리 가족을 소개하려 합니다. 다음 중에서 필요 없는 것을 고르세요
―――――――――――――――――――――――――――――――――― (   )

① 아버지는 남자입니다.

② 누나는 노래를 잘 부릅니다.

③ 내 동생은 떡을 좋아합니다.

④ 할머니는 그림을 잘 그립니다.

⑤ 어머니는 직장에 다니십니다.

7 요약하기

짝에 대해 소개한 것을 아래와 같이 간추렸습니다. 빈칸에 알맞은 말을 쓰세요.

김태원	• 성별과 성격: 남자아이이고 착하다. • 잘 하는 것: ① ☐☐☐ 를 잘한다.
조현정	• 모습과 성격: 얼굴이 둥글고 항상 웃으며 친구들에게 친절하다. • 잘 하는 것: ② ☐☐ 를 잘한다.
박대현	• 모습과 성격: 눈이 초롱초롱하고 생김새가 늠름하며 친구들과 잘 어울린다. • 좋아하는 것: ③ ☐ 읽기를 즐긴다.

어휘 넓히기

뜻 낱말의 뜻풀이로 알맞은 것을 보기 에서 골라 괄호 안에 기호를 쓰세요.

(1) 까닭   (   )

(2) 늠름하다 (   )

(3) 어울리다 (   )

보기
ㄱ 한데 섞여 어우러지다.
ㄴ 일이 생기게 된 원인이나 조건.
ㄷ 생김새나 태도가 의젓하고 당당하다.

다지기 아래 문장의 빈칸에 알맞은 낱말을 보기 에서 찾아 쓰세요.

보기
어울려   늠름한   까닭을

(1) 우리집은 한집안에 3대가 [   ][   ][   ] 사는 대가족이다.

(2) 동생이 늦게 온 [   ][   ][   ] 나는 알았다.

(3) 친구의 [   ][   ][   ] 태도가 보기 좋다.

넓히기 밑줄 친 낱말을 맞춤법에 맞게 고쳐 보세요.

(1) 마음씨가 참 착함니다.

→ [   ][   ][   ][   ]

(2) 눈은 초롱초롱하고 생김새가 늠늠해요.

→ [   ][   ][   ][   ]

(3) 나는 모듬 활동을 좋아해요.

→ [   ][   ][   ][   ]

시간 공부 날짜 [   ]월 [   ]일

푸는데 걸린 시간 [   ]분

확인 맞은 개수 써보기

| 독해 | [   ]개/7개 | 어휘 | [   ]개/9개 |

'비바람에 문이 세게 다치는 바람에 발을 닫혔어.'라는 문장은 바른 문장일까요? 생각을 제대로 전달하기 위해서 낱말을 바르고 정확하게 사용할 줄 알아야 해요. 이 글을 읽으면서 정확한 낱말을 사용하는 공부를 해봐요.

1. 15점 2. 10점 3. 15점 4. 15점 5. 15점 6. 15점 7. 15점

　　생각이나 뜻을 제대로 전달하기 위해서는 '무엇이 어떠하다.', '무엇이 어떠해야 한다.'라는 식으로 말을 만들어야 하는데 이런 식의 말을 '문장❶'이라 합니다. 문장은 여러 개의 낱말로 이루어지고, 낱말들은 바르고 정확하게 사용하여야 합니다. 낱말을 바르고 정확하게 사용해야 글을 읽을 때 문장의 뜻을 정확하게 알 수 있습니다. 또 글을 쓸 때도 전하고자 하는 내용을 분명하게 전달할 수 있습니다. 어떻게 해야 바르고 정확하게 낱말을 사용할 수 있을까요?

　　소리는 같지만, 글자와 뜻이 다른 낱말을 구분하여 사용하여야 합니다. '다치다' 와 '닫히다'는 소리는 같지만, 글자의 모양과 뜻이 다르답니다. 몸의 어느 부분이 맞거나 부딪쳐 상처가 난 것을 '다치다'라고 하고, 열린 문, 뚜껑, 서랍들을 제자리로 가게 해 막히는 것을 '닫히다'라고 해요. '바람에 문이 세게 다치고', '돌부리에 걸려 발을 닫히고'는 둘 다 잘못된 구절❷이 되겠지요.

　　소리가 다르고 뜻도 달라서 마땅히 구분해서 쓸 수 있을 것 같은데, 사람들이 습관적으로 잘못 쓰는 낱말도 있답니다. '다르다'와 '틀리다'는 소리가 다르고 뜻도 달라서 구분해서 써야 할 낱말들입니다. '다르다'는 '둘이 서로 차이가 난다.'라는 뜻이고, '틀리다'는 '정답이 아니다, 잘못되다, 틀어지다'라는 뜻입니다. ㉠'태어난 곳이 달라 기질❸이 틀린 사람', ㉡'정답에서 벗어나 다른 답을 쓴 사람'이라는 구절은 잘못된 표현입니다.

❶문장 주어와 서술어를 갖추고 있는 것이 원칙이나 때로 이런 것이 생략될 수도 있다. ❷ 구절 구와 절. '구'는 둘 이상의 단어가 모여 절이나 문장의 일부분을 이루는 토막. '절'은 주어와 서술어를 갖추었으나 홀로 쓰이지 못하고 문장의 한 부분으로 쓰이는 단위. ❸ 기질 타고난 기품과 성질.

1

주제찾기

무엇을 위해 쓴 글입니까? ·································· (   )

① 글씨를 또박또박 쓰기

② 동생이 알아듣도록 말하기

③ 어려운 말의 뜻을 찾아보기

④ 낱말을 바르고 정확하게 사용하기

⑤ 낱말의 잊어버린 뜻을 기억해내기

2

글감찾기

글감을 글에서 찾아 한 개의 낱말로 쓰세요.

3

사실이해

생각이나 뜻을 제대로 전달하는 말의 단위를 일컫는 이름은 무엇입니까? (   )

① 소리   ② 낱말

③ 구절   ④ 마디

⑤ 문장

4

미루어알기

'다치다'와 '닫히다'와 같은 까닭으로 구분하여 사용하여야 하는 낱말의 짝은 어느

것입니까? ·································· (   )

① 가다-오다

② 날다-날리다

③ 마치다-맞히다

④ 세우다-세워지다

⑤ 가르치다-가리키다

5 세부내용

㉠과 ㉡을 각각 바르게 고쳐 쓰세요.

⇨ ㉠ 태어난 곳이 달라 기질이 □□ 사람

㉡ 정답에서 벗어나 □□ 답을 쓴 사람

6 적용하기

다음 설명에 해당하는 예는 어느 것입니까? ⎯⎯⎯⎯⎯⎯⎯⎯ ( )

> 소리가 다르고 뜻도 달라서 마땅히 구분해서 쓸 수 있을 것 같은데, 사람들이 습관적으로 잘못 쓰는 낱말도 있답니다.

① 내 짝은 나와 생각이 <u>틀려</u> 싫다.
② 나와 동생은 생김새가 많이 <u>다르다</u>.
③ 받아쓰기 시험에서 세 문제를 <u>틀렸다</u>.
④ <u>다른</u> 친구가 발표할 때 귀 기울여야 한다.
⑤ 동생은 '1+1'의 답이 '4'라고 <u>틀리게</u> 적었다.

7 요약하기

문장에서 낱말을 바르고 정확하게 사용하는 방법을 다음과 같이 간추렸습니다. 빈칸을 채우세요.

> 방법 (1)
>
> ① □□ 는 같지만, 글자와 뜻이 다른 낱말을 구분하여 사용하기
>
> 예 다치다/닫히다
>
> 방법 (2)
>
> ② □□ 와 ③ □ 이 모두 다른 낱말을 구분하여 사용하기
>
> 예 다르다/틀리다

뜻

낱말의 뜻풀이로 알맞은 것을 보기에서 골라 괄호 안에 기호를 쓰세요.

(1) 구분하다 (   )

(2) 마땅하다 (   )

(3) 전달하다 (   )

보기
ㄱ 전하여 알게 하다.
ㄴ 일정한 기준에 따라 전체를 몇 개로 갈라 나누다.
ㄷ 이치로 보아 옳다. 조건이나 정도에 어울리게 맞다. 마음에 들어서 좋다.

해설편 04쪽

다지기

아래 문장의 빈칸에 알맞은 낱말을 보기에서 찾아 쓰세요.

보기

전달됐다   마땅하다   구분해서

(1) 내가 부친 택배가 엉뚱한 사람에게 ☐☐☐☐.

(2) 옷을 색깔별로 ☐☐☐☐ 정리했다.

(3) 잘못해놓고 반성할 줄 모른다면, 비난받음이 ☐☐☐☐.

넓히기

밑줄 친 낱말을 맞춤법에 맞게 고쳐 보세요.

(1) 어떠케 해야 버릇을 고칠 수 있을까요?

→ ☐☐☐

(2) 사람들이 습간적으로 잘못 쓰는 말이 있어요.

→ ☐☐☐

(3) 난말을 바르게 씁시다.

→ ☐☐☐

시간

공부 날짜 ☐월 ☐일

푸는데 걸린 시간 ☐분

확인

맞은 개수 써보기

독해 ☐개/7개   어휘 ☐개/9개

08

생각 열기

사슴벌레는 많은 어린이가 좋아하는 곤충이에요. 머리 양쪽으로 날카롭고 늠름하게 난 큰 턱이 무엇보다 매력적이지요. 그 큰 턱이 사슴뿔을 닮아 사슴벌레라고 해요. 사슴벌레에 대해 더 알아봅시다.

점수계산 1. 15점 2. 15점 3. 10점 4. 15점 5. 15점 6. 15점 7. 15점

숲속 나무에 곤충 한 마리가 붙어 있어요. 가까이 다가가 볼까요? 뿔처럼 생긴 멋진 턱이 있는 것을 보니 수컷 사슴벌레예요. 수컷 사슴벌레에 대해 같이 알아보아요.

수컷 사슴벌레의 생김새에서 가장 먼저 눈에 띄는 것은 큰 턱이에요. 수컷 사슴벌레는 큰 턱을 가지고 있어요. 큰 턱 옆에는 더듬이도 있어요.

그리고 수컷 사슴벌레의 등은 단단한 껍데기로 덮여 있어요. 단단한 껍데기 속에는 얇은 속 날개가 있지요.

수컷 사슴벌레는 나뭇진을 먹고 살아요. 배가 고픈 수컷 사슴벌레는 더듬이를 세워서 나뭇진의 냄새를 맡아요. 그리고 속 날개를 이용해 나뭇진이 흐르는 나무로 날아가지요. 수컷 사슴벌레는 나뭇진을 핥아 먹어요. 특히 참나무 진은 수컷 사슴벌레가 아주 좋아하는 먹이랍니다.

수컷 사슴벌레는 다른 수컷 사슴벌레와 자주 힘겨루기를 해요. 자신을 드러내 보이거나 먹이를 차지하기 위해서지요. 나무 위에서 마주 선 수컷 사슴벌레는 큰 턱을 맞대고 상대를 밀어(㉠). 한 수컷 사슴벌레가 큰 턱으로 상대를 꽉 잡고 번쩍 들어 올리면 힘겨루기가 끝이 나요.

이제 수컷 사슴벌레에게 관심이 생겼나요? 그렇다면 멋진 수컷 사슴벌레를 만나러 숲속으로 함께 떠나요.

낱말 풀이

❶곤충 몸은 딱딱한 물질로 싸여 있고 많은 마디로 되었으며 머리, 가슴, 배의 세 부분으로 나누어진다. 머리에 한 쌍의 더듬이와 겹눈, 가슴에 두 쌍의 날개와 세 쌍의 다리가 있다. ❷ 더듬이 곤충의 머리 부분에 있는 감각 기관. 후각, 촉각 따위를 맡아 보고 먹이를 찾고 적을 막는 역할을 한다.

1 주제찾기

글의 중심 내용은 어떤 말과 관계가 깊은가요? ────────── (   )

① 개미는 작지만 힘이 세요.

② 숲속에는 풀, 나무, 꽃이 많아요.

③ 나무에서는 나뭇진이 흘러나와요.

④ 세상에는 많은 사람이 살고 있어요.

⑤ 수컷 사슴벌레에 대해 알아보아요.

2 글감찾기

글에 여러 번 나타난 글감을 찾아 쓰세요.

3 사실이해

수컷 사슴벌레의 생김새에서 가장 큰 특징은 무엇입니까? ────────── (   )

① 뿔처럼 생긴 큰 턱

② 한 쌍의 긴 더듬이

③ 단단한 껍데기

④ 얇은 속 날개

⑤ 세 쌍의 다리

4 미루어알기

수컷 사슴벌레는 언제 큰 턱을 사용하나요? ────────── (   )

① 집을 지을 때

② 먹이를 찾을 때

③ 다른 동물을 피할 때

④ 적과 힘겨루기를 할 때

⑤ 나무 위로 높이 올라갈 때

5 세부내용

⊙에 알맞은 낱말은 무엇인가요? ─────────────────── (　　)

① 당겨요

② 내려요

③ 붙여요

④ 부쳐요

⑤ 부딪쳐요

6 적용하기

'수컷 사슴벌레'라는 이름을 지을 때 떠올렸을 생각으로 알맞은 것을 고르세요.

─────────────────── (　　)

① 큰 턱과 사슴의 뿔

② 더듬이와 사슴의 코

③ 큰 턱과 거북의 긴 목

④ 속 날개와 사슴의 다리

⑤ 단단한 껍데기와 거북의 등

7 요약하기

수컷 사슴벌레에 대해 다음과 같이 간추렸습니다. 빈칸을 채우세요.

생김새	뿔처럼 생긴 큰 ① [　] 이 있다.
먹이	② [　][　][　] 을 먹는다.
생활 모습	다른 수컷 사슴벌레와 자주 ③ [　][　][　][　] 를 한다.

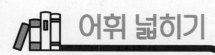

어휘 넓히기

뜻 낱말의 뜻풀이로 알맞은 것을 보기 에서 골라 괄호 안에 기호를 쓰세요.

(1) 껍데기 (　　　)
(2) 껍질　　(　　　)
(3) 핥다　　(　　　)

보기
㉠ 혀가 물체의 겉면에 살짝 닿으면서 지나가게 하다.
㉡ 달걀이나 조개 따위의 겉을 싸고 있는 단단한 물질.
㉢ 물체의 겉을 싸고 있는 단단하지 않은 물질.

2주 08회

해설편 04쪽

다지기 아래 문장의 빈칸에 알맞은 낱말을 보기 에서 찾아 쓰세요.

보기
껍데기　　　껍질　　　핥고

(1) 돌에 굴 □□□ 가 따닥따닥 붙어 있다.

(2) 귤 □□ 을 아무 데나 버리는 우리 형이 밉다.

(3) 강아지가 잠들어 있는 주인의 손을 □□ 있다.

넓히기 밑줄 친 낱말을 맞춤법에 맞게 고쳐 보세요.

(1) 수컷 사슴벌레에 대해 <u>가치</u> 알아보아요.

→ □□

(2) 단단한 <u>껍대기</u>로 덮여 있어요.

→ □□□

(3) 눈에 <u>띠는</u> 큰 특징.

→ □□

시간 공부 날짜 □ 월 □ 일
푸는데 걸린 시간 □ 분

확인 맞은 개수 써보기

독해	□ 개/7개	어휘	□ 개/9개

 여러분은 집에서 식물이나 동물을 키우고 있나요? 이름이 무엇인가요? 어떤 사람은 금방 이름을 짓지만, 어떤 사람은 오랫동안 생각하고 또 생각하며 이름을 지을 거예요. 이야기 속 주인공은 어떻게 지었을까요?

 1. 15점   2. 15점   3. 15점   4. 15점   5. 10점   6. 15점   7. 15점

아영이는 학교에서 친구들과 공기놀이를 하였어요.

빨강, 초록, 공기 알을 보니 문득 방울토마토 이름 짓는 것 깜빡한 게 떠올랐어요. 아영이는 친구들에게 물어보았어요.

"영미야, 우리 집 방울토마토 이름을 지어 줘야 하는데, 뭐가 좋을까?"

"글쎄, 방울이? 아니면 빨강이?"

영미는 방울토마토에 별로 관심이 없나 봐요. 공기놀이를 하면서 건성❶으로 대답을 하네요. 살짝 서운한 마음이 들었어요.

"빨강이는 안 될 것 같아. 아직 어려서 초록색이거든."

집에 오자마자 베란다로 달려갔어요. 반나절 사이에 많이 토실토실해진 것 같아요.

"얘들아, 잘 놀았어? 하루 종일 매달려 있느라 힘들진 않았니?"

봄바람이 살랑살랑 불어오니 방울토마토 삼 형제가 흔들흔들 괜찮다고, 즐겁게 잘 놀고 있었다고 고개를 끄덕이는 것 같아요.

"얘들아, 나는 오늘 좀 슬펐어. 친구들에게 너희들 자랑을 하려고 했는데 다들 별로 관심이 없는 거야. 재현이는 토마토가 싫다고 하고, 영미는 공기놀이만 좋아하고……. 너희가 말을 할 수 있으면 참 좋을 텐데, 나는 혼자라서 가끔 외롭거든."

방울토마토에게 이런저런 얘기를 하니까 신기하게도 ㉠기분이 조금 풀리는 것 같아요. 내 마음속 비밀을 털어놓을 수 있는 비밀 친구가 생긴 것 같기도 하구요. 이제 힘든 일이 있으면 방울토마토 삼 형제에게 얘기해야겠어요. 그럼 오늘처럼 나를 위로해 주겠죠?

저녁밥을 먹은 우리 가족은 방울토마토 삼 형제 이름 짓기 가족회의를 열었어요.

"그럼 이제 아영이 차례네. 두구두구두구 개봉 박두!"

"한영이, 두영이, 세영이……."

다른 친구들을 보니까 동생이나 언니, 오빠랑 이름 한 글자씩 똑같더라고요. 은비랑 은채, 재현이랑 재성이 오빠, 현아랑 영아 언니……. 그래서 내 이름에 있는 '영' 자에다 하나, 둘, 셋을 붙인 거예요.

"우리 아영이의 '영'자를 돌림자로 썼구나."

"와, 제법 기발한데? 아영이랑 방울토마토가 진짜 가족이 된 것 같네. 하하하."

이렇게 해서 만장일치❷로 방울토마토 삼 형제의 이름이 한영이, 두영이, 세영이로 확정되었어요. 내 ⓛ아이디어가 뽑히니까 기분이 좋아요.

낱말풀이 ❶ 건성 1. 어떤 일을 성의 없이 대충 겉으로만 함. 2. 진지한 자세나 성의 없이 대충 하는 태도. ❷ 만장일치 한 회의 장소에 모인 사람이 모두 같은 의견에 도달함.

1
주제찾기

중심 내용을 알맞게 간추린 것은 어느 것입니까? —————————————————— (　　　)

① 학교에서 있었던 일　　　　② 가족들로부터 느낀 서운함

③ 강아지를 기르면서 느낀 점　　④ 가족회의를 통해 확인한 아빠의 사랑

⑤ 방울토마토 이름 짓기를 둘러싸고 일어난 일

2
글감찾기

이야기를 펼치기 위해 선택한 글감을 찾아 쓰세요.

3
사실이해

방울토마토 삼 형제의 이름은 무엇입니까? 빈칸을 채우세요.

□□이, □□이, □□이

4

미루어알기

⊙의 속뜻으로 알맞은 것을 고르세요. ────────────────── (　　)

① 슬픈 마음을 감출 수 없어.

② 괴로운 마음이 생겨나는 것 같아.

③ 내게도 꿈이 있다는 사실이 생각났어.

④ 슬프고 외로운 마음이 덜어지는 것 같아.

⑤ 이웃과 더불어 살아가야 한다는 것을 느꼈어.

5

세부내용

말을 가장 많이 하여 이야기를 이끌어가는 사람은 누구입니까? ────── (　　)

① 아영　　　　　② 영미　　　　　③ 재현

④ 엄마　　　　　⑤ 아빠

6

적용하기

다음의 경우에 떠올릴 수 있는 마음은 무엇입니까? ────────── (　　)

> 친구에게 색종이를 빌려 달라고 했는데 친구가 듣지도 않고 얼굴을 딴 데로 돌려버렸다.

① 기쁘다　　　　　　　　　② 즐겁다

③ 고맙다　　　　　　　　　④ 서운하다

⑤ 부끄럽다

7

요약하기

이야기의 흐름을 아래와 같이 간추렸습니다. 빈칸을 채워 완성하세요.

> 공기놀이를 하다가 ① ☐☐☐☐☐ 의 이름 짓는 것을 떠올리고 친구들에게 함께 지을 것을 물어보았지만 친구들이 관심없어하는 태도에 서운한 마음이 든 아영 → 방울토마토에게 외로움을 말하는 아영 → 가족회의에서 방울토마토의 ② ☐☐ 을 지음

어휘 넓히기

뜻 낱말의 뜻풀이로 알맞은 것을 보기에서 골라 괄호 안에 기호를 쓰세요.

(1) 토실토실 (　　　)

(2) 털어놓다 (　　　)

(3) 건성 　　 (　　　)

보기
ㄱ 진지한 자세나 성의 없이 대충 하는 태도.
ㄴ 보기 좋을 정도로 살이 통통하게 찐 모양.
ㄷ 마음속에 품고 있는 사실을 숨김없이 말하다.

다지기 아래 문장의 빈칸에 알맞은 낱말을 보기에서 찾아 쓰세요.

보기
건성으로　　　　털어놓으니　　　　토실토실

(1) 친구에게 속마음을 [　][　][　][　][　] 마음이 가벼워졌다.

(2) 손을 [　][　][　][　] 씻어서 비눗물이 그대로 남아 있다.

(3) 새끼강아지는 한 달 만에 [　][　][　][　] 하게 살이 쪘다.

넓히기 밑줄 친 낱말을 맞춤법에 맞게 고쳐 보세요.

(1) 와, <u>재법</u> 기발한데?

→ [　][　]

(2) 나는 혼자라서 가끔 <u>애롭거든</u>.

→ [　][　][　][　]

(3) 운동장 철봉에 <u>메달렸다</u>.

→ [　][　][　][　]

여러분은 숨바꼭질을 좋아하나요? 숨바꼭질은 술래가 수를 세거나 눈을 가린 뒤, 그 사이에 몸을 숨긴 아이들을 찾아내는 놀이에요. 숨바꼭질했던 경험을 떠올리며 시를 읽어 봅시다.

점수계산 1. 15점 2. 15점 3. 10점 4. 15점 5. 15점 6. 15점 7. 15점

꼭꼭 숨어라 머리카락 보일라 옷자락이 보일라

꼭꼭 숨어라 발뒤꿈치 보일라 치맛자락 보일라

꼭꼭 숨어라 장독 뒤에 숨어라 대문 뒤에 숨어라

앉아서도 보이고 서서도 보인다 꼭꼭 숨어라

㉠찾아보자 찾아보자 어디 숨었나 어디 숨었나

요 숨었네 찾았다

1 시에서 그려진 것은 어떤 모습인가요? —————————————— ( )

주제찾기

① 술래 정하기

② 손잡고 걷기

③ 혼자서 놀기

④ 가위바위보 하기

⑤ 숨은 사람 찾아가기

2 시에서 다룬 놀이의 이름을 쓰세요.

글감찾기

3 가장 여러 번 나타난 말은 무엇입니까? —————————————— ( )

사실이해

① 꼭꼭 숨어라

② 머리카락 보일라

③ 옷자락이 보일라

④ 앉아서도 보이고

⑤ 찾아보자 찾아보자

4 미루어알기

㉠을 말한 사람의 마음으로 알맞은 것은 무엇입니까? ───────── ( )

① 몰래 숨어 있어서 신난다.

② 쉽게 찾을 수 없어 답답하다.

③ 그만 집에 가야 해서 안타깝다.

④ 술래가 찾을까 봐 조마조마하다.

⑤ 재빨리 숨을 곳을 찾느라 바쁘다.

5 세부내용

시에서 가장 나중에 이루어진 움직임은 어느 것입니까? ───────── ( )

① 숨다   ② 가다   ③ 보다

④ 오다   ⑤ 찾다

6 적용하기

숨바꼭질을 할 때 뒤에 숨을 수 있는 물건으로 알맞지 <u>않은</u> 것을 고르세요.

───────── ( )

① 장독   ② 대문   ③ 나무

④ 책가방   ⑤ 책상

7 요약하기

시에서 숨바꼭질을 했던 어린이가 쓴 일기입니다. 빈칸에 알맞은 낱말을 시에서 찾아 채우세요.

> 4월 5일 일기
>
>   오늘 친구들과 숨바꼭질을 했다. 가위바위보를 하고 민철이가 술래가 되었다. 민철이가 눈을 감고 '□□ □□□□□'라고 말했다. 우리는 몰래 숨어서 신이 났다. 민철이는 우리를 열심히 찾으려고 노력했고 우리는 민철이가 찾을까 봐 조마조마했다. 마침내 민철이가 우리 모두를 찾았고 우리는 함께 웃었다. 참 재미있었다.

어휘 넓히기

뜻 낱말의 뜻풀이로 알맞은 것을 보기 에서 골라 괄호 안에 기호를 쓰세요.

(1) 옷자락 (   )

(2) 대문   (   )

(3) 꼭꼭   (   )

보기
ㄱ 아주 깊숙이 숨거나 들어박히는 모양을 나타내는 말.
잇따라 또는 매우 야무지게 힘을 주어 누르거나 죄는
모양.
ㄴ 옷의 아래로 드리운 부분.
ㄷ 집 바깥으로 통하게 하려고 만든 커다란 문.

다지기 아래 문장의 빈칸에 알맞은 낱말을 보기 에서 찾아 쓰세요.

보기
꼭꼭   옷자락   대문

(1) ☐☐ 에는 자물쇠가 굳게 잠겨 있었다.

(2) 아이가 어머니의 ☐☐☐ 을 붙잡고 떼를 쓴다.

(3) 나는 너무 창피하고 화가 나서 ☐☐ 숨어 버리고만 싶었다.

넓히기 밑줄 친 낱말을 맞춤법에 맞게 고쳐 보세요.

(1) <u>발뒷꿈치</u> 보일라.

→ ☐☐☐☐

(2) <u>안자서도</u> 보이고 서서도 보인다.

→ ☐☐☐☐

(3) <u>머릿카락</u>이 엉켜서 빗질이 힘들었다.

→ ☐☐☐☐

시간 공부 날짜 ☐ 월 ☐ 일

푸는데 걸린 시간 ☐ 분

확인 맞은 개수 써보기

| 독해 | ☐ 개/7개 | 어휘 | ☐ 개/9개 |

어휘·어법 총정리 📖👓

어휘 보기의 낱말을 보고, 뜻과 어울리는 것을 골라 아래의 빈칸에 써보세요.

보기

| 핥다 | 건성 | 까닭 | 늠름하다 | 꼭꼭 | 대문 |

1. 생김새나 태도가 의젓하고 당당하다.

2. 아주 깊숙이 숨거나 들어박히는 모양을 나타내는 말.

3. 혀가 물체의 겉면에 살짝 닿으면서 지나가게 하다.

4. 집 바깥으로 통하게 하려고 만든 커다란 문.

5. 일이 생기게 된 원인이나 조건.

6. 진지한 자세나 성의 없이 대충 하는 태도.

어법 다음 중 맞춤법에 맞는 것을 골라 동그라미 하세요.

1. 사과 [껍질 / 껍데기]을 버렸다.

2. [어떠케 / 어떻게] 그럴 수 있어?

3. [옷자락 / 옷짜락]이 문틈에 꼈다.

4. 조개 [껍데기 / 껍대기]로 목걸이를 만들었다.

5. [발뒷꿈치 / 발뒤꿈치]를 들고 걸었다.

6. 혼자 있으면 [왜로워 / 외로워]요.

7. 사슴벌레가 [나무진 / 나뭇진]을 먹어요.

8. 의자에 [앉아 봐 / 안쟈 봐].

확인 나의 점수 확인하기

어휘	개 / 6개	어법	개 / 8개

3주차

회차 / 영역	제목	계획 및 점검
11 인문|설명문	**말놀이** • 나는 ☐월 ☐일 ☐시에 공부할 것입니다.	• 독해력에서 나의 점수는 ☐점입니다. • 어휘력에서 맞은 문제수는 ☐개 / 9개 입니다. • 어려웠던 문제는 _____번입니다.
12 사회|설명문	**안전한 우리집** • 나는 ☐월 ☐일 ☐시에 공부할 것입니다.	• 독해력에서 나의 점수는 ☐점입니다. • 어휘력에서 맞은 문제수는 ☐개 / 9개 입니다. • 어려웠던 문제는 _____번입니다.
13 과학|설명문	**태양** • 나는 ☐월 ☐일 ☐시에 공부할 것입니다.	• 독해력에서 나의 점수는 ☐점입니다. • 어휘력에서 맞은 문제수는 ☐개 / 9개 입니다. • 어려웠던 문제는 _____번입니다.
14 산문문학|이야기	**양치기 소년** • 나는 ☐월 ☐일 ☐시에 공부할 것입니다.	• 독해력에서 나의 점수는 ☐점입니다. • 어휘력에서 맞은 문제수는 ☐개 / 9개 입니다. • 어려웠던 문제는 _____번입니다.
15 운문문학|시	**나물 노래** • 나는 ☐월 ☐일 ☐시에 공부할 것입니다.	• 독해력에서 나의 점수는 ☐점입니다. • 어휘력에서 맞은 문제수는 ☐개 / 9개 입니다. • 어려웠던 문제는 _____번입니다.

• 이번 주 독해력 문제에서 나의 점수는 평균 ☐점입니다.

• 이번 주 어휘력에서 맞은 문제수는 모두 ☐개입니다.

'콧구멍에 손을 넣어 움직이면 다리로 일하는 것'은 무엇일까요? 바로 '가위'에요. 이렇게 어떤 사물에 대하여 빗대어 묻고 알아맞히는 말놀이를 수수께끼 놀이라고 해요. 수수께끼 놀이 말고도 여러 말놀이가 있어요.

점수계산　1. 15점　2. 15점　3. 15점　4. 15점　5. 10점　6. 15점　7. 15점

　　말놀이는 말 그대로 말을 재미있게 꾸며서 하는 놀이예요. 말을 배우는 어린아이를 위해 부모는 신체적 접촉을 통해, 그리고 흉내 내기를 통해 말놀이를 해요. 예를 들면 어린아이가 보는 앞에서 '코코코'하면서 손가락으로 코를 가리키다 '입'이라고 하면서 입을 가리켜요. 아이는 이를 따라 해요. 한 단계 더 나아가면 '코코코'하다 '입'이라고 하면서 손가락을 귀를 가리켜 보아요. 아이는 그대로 따라하게 되고, 이내❶ 잘못되었음을 알아차리고 웃게 되어요.

　　끝말잇기는 일명 말꼬리 따기라고도 하는데, 앞에서 말한 끝말을 뒤에 이어서 해요. 가락을 붙여 노래로 부르기도 해요. 어린 아이들이 "원숭이 엉덩이는 빨강 / 빨강은 사과 / 사과는 맛있다 / 맛있는 건 바나나 / 바나나는 길다[이하 생략]"와 같이 끝말잇기를 노래로 하는 모습을 볼 수 있어요. (　㉠　) 혼자서 끝말을 이어가는 방식이 있는가 하면 여러 사람이 차례를 정해 한 단어씩 끝말을 이어가는 놀이도 있어요.

　　숫자놀이는 1, 2, 3, 4 … 10까지 순서대로 말하면서 첫 글자를 숫자에 맞춰 말을 꾸며가면서 노는 놀이로 오늘날 삼행시와 같은 방식의 놀이라고 할 수 있답니다. 스무고개는 문제를 내는 사람이 마음속에 정답을 정해놓고 문제를 맞힐 사람이 질문하면 '네, 아니요'로 대답하여 주고, 질문이 20개를 넘기기 전에 답을 맞혀야 해요.

---

❶ 이내 그때에 곧, 또는 지체함이 없이 바로.

1

주제찾기

글에서 설명한 중심 내용은 무엇입니까? ─────────────── ( )

① 우리말의 재미있는 뜻
② 둘이서 하는 재미있는 놀이
③ 가족끼리 즐기는 재미있는 놀이
④ 꾸며 주는 말을 넣어 문장 만들기
⑤ 말을 재미있게 꾸며서 하는 놀이의 종류

2

글감찾기

글감으로 되어 있는 한 낱말을 글에서 찾아 쓰세요.

3

사실이해

글에 나타나지 <u>않은</u> 말놀이는 무엇입니까? ─────────────── ( )

① 스무고개   ② 끝말잇기
③ 숫자놀이   ④ 흉내 내기
⑤ 글자 카드 찾기

4

미루어알기

끝말잇기를 할 때, 다음 말로 이어가기가 가장 <u>어려운</u> 소리는 무엇입니까?

─────────────── ( )

① 가   ② 노   ③ 두
④ 르   ⑤ 미

5 세부내용 ㉠에 들어갈 말로 알맞은 것은 무엇입니까? ———————————————— (　　)

① 그래서

② 이처럼

③ 갑자기

④ 더욱이

⑤ 왜냐하면

6 적용하기 숫자 놀이를 했을 때 다음 물음에 답하는 말로 알맞은 것을 고르세요. ——— (　　)

다섯은 뭐니?

① 숟가락 하나

② 젓가락 둘

③ 세발자전거 셋

④ 책상다리 넷

⑤ 발가락 다섯

7 요약하기 글을 문단에 따라 다음과 같이 정리했습니다. 빈칸을 채우세요.

1문단	부모와 어린아이의 말놀이
2문단	① ☐☐☐☐ 의 여러 가지 방식
3문단	② ☐☐☐☐ 와 ③ ☐☐☐☐

어휘 넓히기

뜻 낱말의 뜻풀이로 알맞은 것을 보기에서 골라 괄호 안에 기호를 쓰세요.

(1) 방식　　　　(　　)
(2) 알아차리다 (　　)
(3) 접촉　　　　(　　)

보기
㉠ 어떤 것이 다른 것과 맞붙어서 닿음.
㉡ 알고 정신을 차려 깨닫다.
㉢ 일정한 방법이나 형식.

다지기 아래 문장의 빈칸에 알맞은 낱말을 보기에서 찾아 쓰세요.

보기
접촉　　　알아차리고　　　방식

(1) 수상한 사람을 [　][　][　][　][　] 경찰에 신고했다.

(2) 아기는 엄마와의 피부 [　][　] 을 통해 사랑을 느낀다.

(3) 나라마다 다양한 생활 [　][　] 이 있다.

넓히기 밑줄 친 낱말을 맞춤법에 맞게 고쳐 보세요.

(1) 한 <u>단개</u> 더 나아가면

→ [　][　]

(2) 아이는 그대로 따라 하게 <u>대고</u>

→ [　][　]

(3) 선생님이 칠판을 <u>가르치며</u> 말씀하셨다.

→ [　][　][　][　]

시간 공부 날짜 [　] 월 [　] 일
푸는데 걸린 시간 [　] 분

확인 맞은 개수 써보기

독해	[　] 개 / 7개	어휘	[　] 개 / 9개

12

생각 열기 어린이가 가장 많이 다치는 곳은 어디일까요? 위험한 도로나 사람이 많은 놀이공원? 아니에요. 안전사고가 가장 많이 일어나는 장소는 바로 모두가 가장 안전하다고 믿는 집이라고 해요. 집에서 안전하게 생활하기 위해서 해야 할 일이 무엇인지 꼭 알아봐야겠지요?

점수계산 1. 15점 2. 15점 3. 10점 4. 15점 5. 15점 6. 15점 7. 15점

집에서 안전하게 생활하기 위해서 해야 할 일을 알아봐요.

창문 밖으로 몸을 내밀지 않도록 해요. 떨어질 수도 있으므로 창문 밑이나 베란다 옆에는 딛고 올라갈 수 있는 물건을 놓지 않고, 안전 창살을 해 놓도록 합니다.

가구 모서리에 부딪히지 않도록 조심해요. 부딪쳤을 때 다칠 수 있는 뾰족하고 날카로운 가구 모서리에는 보호대를 해 놓습니다.

콘센트에 물건을 집어넣으면 안 돼요. 전기 콘센트에 손가락이나 뾰족한 것을 집어넣으면 전기가 통할 수 있으므로 보호 뚜껑을 끼워 놓습니다.

위험한 물건이 들어 있는 서랍을 함부로 열지 않도록 해요. 가위나 칼 등이 들어 있는 서랍을 어린이가 열면 다칠 수 있어요. 위험한 물건이 들어있는 서랍은 잠금장치를 해 놓습니다.

바닥에 미끄러지지 않도록 조심해요. 미끄러질 수 있으므로 바닥에 물기가 없도록 하고, 걸려 넘어질 수 있는 물건이나 전선 등은 항상 정리를 잘해 둡니다.

뜨거운 기운에 데지 않도록 주의합니다. 밥솥에서 나오는 뜨거운 김이나 뜨거운 다리미 등에 델 수 있으므로 어린이 손에 뜨거운 것이 닿지 않도록 합니다.

약을 함부로 만지거나 먹으면 안 돼요. 약, 독한 세제, 농약 등을 어린이가 만지거나 먹을 수 있으므로 어린이 손이 닿지 않는 곳에 두어야겠습니다.

 낱말풀이 ❶ 베란다 집채에서 툇마루처럼 튀어나오게 하여 벽 없이 지붕을 씌운 부분. 보통 가는 기둥으로 받친다. '쪽마루'로 순화.
❷ 콘센트 전기 배선과 집안으로 들어오는 전기의 연결에 쓰는 기구.

1
주제찾기

무엇을 중심 내용으로 삼았습니까? ─────────────── ( )

① 집에서 안전하게 생활하기
② 창밖을 내다볼 때 주의하기
③ 집안의 가구를 다루는 방법
④ 전기 기구를 다룰 때 주의할 점
⑤ 위험한 물건이 들어있는 서랍 옮기기

2
제목찾기

글에 나온 낱말을 써서 알맞은 제목을 완성하세요.

☐☐한 우리집

3
사실이해

글에서 가장 먼저 말한 안전장치는 어느 것입니까? ───────── ( )

① 안전 창살　　② 보호대　　③ 콘센트
④ 잠금장치　　⑤ 다리미

4
미루어알기

읽어야 할 사람을 모두 모아 놓은 것은 어느 것입니까? ───────── ( )

① 어린이　　② 부모들　　③ 어린이와 부모들
④ 외국인　　⑤ 노인

5
세부내용

전기에 의해 위험에 빠지는 것을 막아 주는 것은 무엇입니까? ──────── (　　　)

① 창문　　　　　　② 모서리　　　　　　③ 보호 뚜껑

④ 전선　　　　　　⑤ 밥솥

6
적용하기

어린이가 다칠 수도 있으므로 특별히 안전한 곳에 두어야 할 물건은 어느 것일까요? ──────────────────────────────── (　　　)

① 장난감　　　　　　② 책상　　　　　　③ 고무줄

④ 유리병　　　　　　⑤ 신발

7
요약하기

집에서 지켜야 할 안전 수칙을 아래와 같이 정리했습니다. 빈칸을 채우세요.

안전 수칙 1	창문 밖으로 떨어지지 않도록	- 딛고 올라갈 수 있는 물건을 놓지 않기 - ① □□□□ 해 놓기
안전 수칙 2	가구 모서리에 부딪쳐도 다치지 않도록	- 가구 모서리에 ② □□□ 해 놓기
안전 수칙 3	콘센트에 물건을 집어넣지 않도록	- 콘센트에 ③ □□□□ 끼워 놓기
안전 수칙 4	위험한 물건이 들어있는 서랍을 열지 않도록	- ④ □□□□ 해 놓기
안전 수칙 5	⑤ □□ 에 미끄러지거나 걸려 넘어지지 않도록	- 물기 없게 하기 - 물건, 전선 정리하기
안전 수칙 6	뜨거운 기운에 데지 않도록	- 밥솥의 김, 다리미 등 뜨거운 것이 어린이 손에 닿지 않도록 하기
안전 수칙 7	⑥ □ 을 함부로 만지거나 먹지 않도록	- 약을 어린이 손이 닿지 않는 곳에 두기

어휘 넓히기

뜻 낱말의 뜻풀이로 알맞은 것을 보기 에서 골라 괄호 안에 기호를 쓰세요.

(1) 딛다 (　　　)
(2) 닿다 (　　　)
(3) 데다 (　　　)

보기
㉠ 발로 내리누르다.
㉡ 실수로 뜨거운 것에 닿아 살이 상하다.
㉢ 맞붙어 사이에 빈틈이 없게 되다.

3
주
12
회

해설편
06쪽

다지기 아래 문장의 빈칸에 알맞은 낱말을 보기 에서 찾아 쓰세요.

보기
데어　　　딛고　　　닿는

(1) 맨발로 땅을 [　][　] 뛰었다.

(2) 발에 [　][　] 흙이 보드랍다.

(3) 뜨거운 국물에 [　][　] 크게 상처를 입었다.

넓히기 밑줄 친 낱말을 맞춤법에 맞게 고쳐 보세요.

(1) 해야 할 일을 <u>알아바요</u>.
→ [　][　][　][　]

(2) 뜨거운 다리미에 <u>대지</u> 않도록 주의합니다.
→ [　][　]

(3) 키보다 높아서 손이 <u>닫지를</u> 않는다.
→ [　][　]

시간 공부 날짜 [　] 월 [　] 일
푸는데 걸린 시간 [　] 분

확인 맞은 개수 써보기
독해 [　] 개／7개　　어휘 [　] 개／9개

태양은 지구에서 아주 멀리 떨어져 있지만, 지구의 날씨를 변화시킬 뿐만 아니라 우리가 살아가는 데 중요한 역할을 해요. 태양이 지구에 빛을 비추어 주지 않는다면 어떻게 될까요? 우리가 사는 지구는 캄캄한 어둠의 세계로 변할 거예요.

 점수 계산   1. 15점   2. 10점   3. 15점   4. 15점   5. 15점   6. 15점   7. 15점

별은 밤에만 볼 수 있을까요? 그렇지 않아요. 낮에 보이는 별도 있지요. 바로 태양(해)이랍니다. 태양은 지구에서 아주 가까운 별이에요.

태양을 중심으로 하여 많은 별이 모여 태양계❶라는 아주 큰 우주를 이루어요. 지구를 비롯하여 많은 별에 에너지를 주며 태양은, 태양계 전체에 아주 큰 영향을 미쳐요. 하지만, 우주의 저 너머에 있는 또 다른 수많은 별과 비교해 보면 태양은 크기로 보나 온도로 보나 그다지 특별한 별은 아니에요.

태양은 대부분이 수소❷라는 아주 작은 물질로 이루어져 있어요. 그 수소가 서로 결합하여 다른 물질을 만들어내는 반응을 일으키면서 에너지를 만들어 내어요. 이때 만들어지는 에너지는 이루 말할 수 없이 크답니다. 그런데도 이 에너지가 태양을 완전히 빠져나오는 데는 짧게는 수만 년에서 길게는 수천만 년이 걸려요. 태양 안쪽의 물질은 밀도❸가 매우 높아서 에너지가 밖으로 뚫고 나오기 힘들기 때문이지요. 태양에서 만들어진 에너지는 빛으로 바뀌어 지구를 비롯한 여러 별에 전해진답니다. 특히 지구에는 생명체가 살기에 적당한 햇빛이 도착하지요.

 낱말 풀이   ❶태양계 태양과 그것을 중심으로 그 주위를 도는 별들의 집합. 태양, 8개의 행성, 50개 이상의 위성, 화성과 목성 사이에 흩어져 있는 소행성, 태양 주위를 지나는 혜성, 긴 빛줄기를 만드는 유성 따위로 이루어져 있다.   ❷ 수소 모든 물질 가운데 가장 가벼운 기체 원소. 빛깔과 냄새와 맛이 없고 불에 타기 쉽다.   ❸ 밀도 일정한 면적이나 공간 속에 포함된 물질이나 대상의 빽빽한 정도.

1 **주제찾기**

글의 전체 내용을 가장 잘 간추려 놓은 것을 고르세요. ──────────── ( )

① 빛을 내는 별

② 밤에 빛나는 별

③ 수소라는 아주 작은 물질

④ 우주 저 너머에 또 다른 별들

⑤ 태양이 다른 별에 미치는 영향

2 **글감찾기**

글감이 무엇인지 글에서 찾아 한 개의 낱말로 쓰세요.

☐☐

3 **사실이해**

글의 내용과 <u>어긋나는</u> 것은 무엇입니까? ──────────── ( )

① 낮에도 별을 볼 수 있다.

② 태양은 태양계의 중심이다.

③ 우주에는 수많은 별이 있다.

④ 태양은 거의 수소로 이루어져 있다.

⑤ 태양 에너지는 하루 만에 지구에 도달한다.

4 **미루어알기**

글을 읽고 알 수 있는 것은 무엇입니까? ──────────── ( )

① 별은 밤에는 빛나지 않는다.

② 태양은 지구의 주위를 돈다.

③ 태양 에너지가 생명체를 살린다.

④ 우주에서 태양의 온도가 가장 높다.

⑤ 태양 에너지는 지구에만 전해진다.

5 세부내용

우리가 태양으로부터 받는 에너지를 부르는 이름은 무엇입니까? ⋯⋯⋯⋯⋯ (　　　)

① 영향
② 햇빛
③ 수소
④ 밀도
⑤ 온도

6 적용하기

이 글로 보아 식물을 키우기 위해 가장 알맞은 장소는 어디입니까? ⋯⋯⋯⋯ (　　　)

① 어두운 실험실
② 동굴 속
③ 볕이 잘드는 베란다
④ 따뜻한 화장실
⑤ 창고 안

7 요약하기

태양 에너지에 대해 다음과 같이 간추렸습니다. 빈칸을 채우세요.

> 　태양은 대부분이 수소로 이루어져 있어요. 수소가 서로 결합하여 다른 물질을 만들어 내는 반응을 일으키는데, 이때 엄청나게 큰 ① □□ □ 가 만들어져요. 이 에너지가 태양을 빠져나오는 데는 아주 오랜 시간이 걸려요. 태양 에너지는 빛으로 바뀌어 전해지는데 특히 지구에는 생명체가 살기에 적당한 ② □□ 이 도착하지요.

어휘 넓히기

뜻

낱말의 뜻풀이로 알맞은 것을 보기 에서 골라 괄호 안에 기호를 쓰세요.

(1) 너머   (   )

(2) 밀도   (   )

(3) 비롯하다 (   )

보기	㉠ 빽빽이 들어선 정도.
	㉡ 어떤 사물이 처음 생기거나 시작하다.
	㉢ 높이나 경계로 가로막은 사물의 저쪽.

다지기

아래 문장의 빈칸에 알맞은 낱말을 보기 에서 찾아 쓰세요.

보기

비롯된   너머   밀도

(1) 저 산 ☐☐ 에는 뭐가 있을지 궁금했다.

(2) 친구와의 싸움은 아주 사소한 오해에서 ☐☐☐ 것이었다.

(3) 서울은 인구 ☐☐ 가 매우 높다.

넓히기

밑줄 친 낱말을 맞춤법에 맞게 고쳐 보세요.

(1) <u>그러치</u> 않아요.

→ ☐☐☐

(2) 아주 작은 물질로 <u>이루어저</u> 있어요.

→ ☐☐☐☐

(3) 차가운 바람이 창문을 <u>뚫고</u> 들어왔다..

→ ☐☐

시간

공부 날짜 ☐ 월 ☐ 일

푸는데 걸린 시간 ☐ 분

확인 맞은 개수 써보기

독해	☐ 개/7개	어휘	☐ 개/9개

14

이야기 속에는 거짓말쟁이가 많이 등장해요. <벌거벗은 임금님>, <금도끼 은도끼>, <토끼의 간> 등 참 많이 나오네요. 다음 이야기에는 어떤 거짓말쟁이가 나올까요?

생각
열기

점수
계산   1. 15점   2. 15점   3. 15점   4. 15점   5. 10점   6. 15점   7. 15점

어느 시골 마을에 양치기 소년이 살고 있었어요. 하루 종일 언덕에서 혼자 양 떼를 지키고 있자니, 여간 지루한 일이 아니었어요. 어느 날, 양치기 소년은 마을을 향해 크게 소리쳤어요.

"늑대다! 늑대가 나타났다!"

마을의 어른인 촌장님이 종을 울리니, 놀란 마을 사람들이 삽이며 곡괭이를 들고, 언덕으로 달려왔어요.

"물리지는 않았니? 늑대는 어디 있어?"

"하하하, 심심해서 장난친 거예요."

마을 사람들은 양치기 소년에게 속은 걸 알고 화를 내며 돌아갔답니다.

다음 날, 양치기 소년은 마을을 향해 다시 소리쳤어요.

"늑대다! 늑대가 나타났다!"

이번에도 촌장님과 마을 사람들이 달려왔죠.

하지만 늑대는 보이지 않았어요.

마을 사람들은 화를 내며 다시 돌아갔어요.

㉠다음 날이었어요. 언덕에 진짜 늑대가 나타난 거예요. / "늑대다! 늑대가 나타났다!"

양치기 소년은 크게 소리쳤어요.

"흥, 또 속을 줄 알고……."

마을 사람들은 아무도 언덕으로 달려가지 않았답니다.

촌장님도 더는 마을 사람들을 불러내지 못하였습니다.

늑대는 무서운 이빨로 양들을 모두 잡아먹었어요. 양치기 소년은 그제야 거짓말한 것을 뉘우쳤지만 이미 늦은 일이었어요.

1 주제찾기

이 이야기에서 얻을 수 있는 가르침은 무엇입니까? ——————————— (　　)

① 가족은 서로를 믿어주어야 한다.

② 촌장은 마을을 잘 다스려야 한다.

③ 다른 사람의 의견에도 귀 기울여야 한다.

④ 사람은 약한 짐승을 돌보아 주어야 한다.

⑤ 여러 번 거짓말하면 참말을 말해도 사람들이 믿을 수 없게 된다.

2 제목찾기

주인공을 떠올리며 이 글의 제목을 붙여 보세요.

3 사실이해

이야기가 어떤 내용으로 끝났습니까? ——————————— (　　)

① 소년이 양을 지켰다.

② 늑대가 양 떼를 공격했다.

③ 소년이 늑대가 나타났다고 외쳤다.

④ 늑대가 나타나서 양을 모두 잡아먹었다.

⑤ 촌장이 마을 사람들과 소년에게 벌을 주었다.

4 미루어알기

글에서 떠올릴 수 <u>없는</u> 장면은 어느 것입니까? ——————————— (　　)

① 친구들과 양 떼를 지키는 양치기 소년

② 촌장님의 종소리에 모여드는 마을 사람들

③ 늑대가 나타났다고 소리치는 양치기 소년

④ 삽과 곡괭이를 들고 달려가는 마을 사람들

⑤ 무서운 이빨을 드러내며 양을 모두 잡아먹는 늑대

5 세부내용 ㉠이 알려주는 내용은 무엇입니까? ──────────────────── (   )

① 일이 생긴 곳
② 시간이 바뀌었음
③ 장소가 변화하였음
④ 신기한 일이 일어남
⑤ 떨리고 긴장된 마음

6 적용하기 양치기 소년은 이제 거짓말을 절대 하지 않겠다고 다짐했어요. 양치기 소년에게 할 수 있는 말로 적절하지 <u>않은</u> 것을 고르세요. ──────── (   )

① <u>십 년 가는 거짓말 없다고 했어.</u> 거짓말은 앞으로 하지 마.
② <u>세 살 버릇이 여든까지 간다고 하던데.</u> 과연 고칠 수 있을까?
③ <u>개구리 올챙이 적 생각 못 한다고 했어.</u> 예전 모습을 잊지 마.
④ <u>소 잃고 외양간 고치는 꼴이야.</u> 이미 늑대가 양을 모두 잡아먹었잖아.
⑤ 이제 사람들이 <u>네 말은 콩으로 메주를 쑨다고 해도 곧이 안 믿을 거야.</u>

7 요약하기 이야기를 아래와 같이 간추렸습니다. 빈칸에 공통으로 들어갈 말을 찾아 글을 완성하세요.

> 시골 마을에 양치기 소년이 살았어요. 어느 날, 소년은 너무 지루해서 마을 사람들에게 늑대가 나타났다고 □□□을 했어요. 다음 날, 양치기 소년은 마을 사람들에게 늑대가 나타났다고 또 □□□을 했어요. 그리고 그다음 날, 언덕에 진짜 늑대가 나타났어요. 양치기 소년은 늑대가 나타났다고 소리쳤지만 아무도 언덕으로 달려가지 않았어요. 양치기 소년은 그동안 □□□한 것을 뉘우쳤지만 이미 늦은 일이었지요.

뜻 낱말의 뜻풀이로 알맞은 것을 보기 에서 골라 괄호 안에 기호를 쓰세요.

(1) 뉘우치다 (　　　)

(2) 지루하다 (　　　)

(3) 그제야 (　　　)

보기
ㄱ 따분하고 싫증이 난 상태에 있다.
ㄴ 그때에야 비로소.
ㄷ 스스로 깨달아 반성하는 마음을 갖다.

다지기 아래 문장의 빈칸에 알맞은 낱말을 보기 에서 찾아 쓰세요.

보기

지루한	그제야	뉘우쳐

(1) 내가 옆구리를 꾹 찌르니 친구는 [　][　][　] 나를 바라보았다.

(2) 아이들은 [　][　][　] 듯 하품을 하고 있었다.

(3) 과거의 잘못을 깊이 [　][　][　] 반성했다.

넓히기 밑줄 친 낱말을 맞춤법에 맞게 고쳐 보세요.

(1) 혼자 양 <u>때</u>를 지키고 있었다.

→ [　]

(2) <u>심심애서</u> 장난친 거예요.

→ [　][　][　][　]

(3) <u>곡갱이</u>로 땅을 팠다.

→ [　][　][　]

시간 공부 날짜 [　]월 [　]일

푸는데 걸린 시간 [　]분

확인 맞은 개수 써보기

독해	[　]개/7개	어휘	[　]개/9개

15

 새싹이 돋고 꽃이 활짝 피면 봄이 왔다고 느끼게 되지요. 그런데 봄을 알려주는 것은 꽃뿐만이 아니에요. 봄이 되면 길가와 아파트 화단에서 봄나물을 찾을 수 있어요. 향이 좋고 영양도 풍부한 봄나물을 찾아보며 봄을 느낄 수 있답니다.

점수 계산 1. 15점 2. 10점 3. 15점 4. 15점 5. 15점 6. 15점 7. 15점

들에 가면 들나물

새 봄이라 봄 냉이

쑥쑥 뽑아 쑥나물

참기름에 참비름

나리나리 미나리

꼬불꼬불 고사리

살살 달래라 달래

말랑말랑 말냉이

질겅질겅 질경이

1 어디서 무엇을 할 때 부른 노래입니까? ─────────────── (   )

주제찾기

① 들에서 나물을 캘 때

② 산에서 나무를 할 때

③ 물에서 고기를 잡을 때

④ 봄에 보리밭을 밟을 때

⑤ 가을에 곡식을 거둘 때

2 글감이 된 대상을 찾아서 한 낱말로 쓰세요.

글감찾기

3 이 노래에서 고사리 나물은 어떻게 표현했습니까? ─────── (   )

사실이해

① 말랑말랑

② 질겅질겅

③ 참기름에

④ 나리나리

⑤ 꼬불꼬불

4 땅에서 뽑을 때의 동작에서 떠올린 이름은 어느 것입니까? ─── (   )

미루어알기

① 들나물

② 봄 냉이

③ 쑥 나물

④ 참비름

⑤ 말냉이

5 노래의 모양이 보여 주는 특징은 어떠합니까? ───────── (   )

세부내용

① 한 묶음으로 되어 있다.

② 모든 줄의 글자 수가 같다.

③ 글자의 수가 갈수록 길어진다.

④ 모든 줄이 같은 소리로 시작한다.

⑤ 모든 줄의 끝이 같은 소리로 되어 있다.

6 아름다운 정원에 핀 꽃들을 보고 나의 생각을 시로 써 보려 합니다. 알맞지 <u>않은</u>

적용하기 것을 고르세요. ───────────────────── (   )

① 모양을 잘 살린 말을 찾아본다.

② 소리를 흉내낼 수 있는 말을 찾아본다.

③ 느낌을 잘 드러낼 수 있는 말을 찾아본다

④ 노래를 부르듯이 흥얼거려 본다.

⑤ 엉뚱한 마음을 억지로 꾸며 본다.

7 〈나물 노래〉에 대한 설명입니다. 빈칸을 세우세요.

요약하기

① ☐ 이 되면 들에서 캘 수 있는 ② ☐☐ 들이 있어요.

냉이, 쑥나물, 참비름, 미나리, 고사리, 달래, 말냉이, 질경이 등이지요.

이 노래는 ③ ☐☐ 의 이름과 특징이 함께 나와 재미있어요.

어휘 넓히기

뜻 낱말의 뜻풀이로 알맞은 것을 [보기]에서 골라 괄호 안에 기호를 쓰세요.

(1) 말랑말랑 (   )
(2) 쑥쑥   (   )
(3) 질겅질겅 (   )

[보기]
ㄱ 자꾸 뽑아내는 모양.
ㄴ 물건이나 사람의 살 따위가 연하고 부드러운 느낌을 나타내는 말.
ㄷ 질긴 물건을 거칠게 자꾸 씹는 모양.

다지기 아래 문장의 빈칸에 알맞은 낱말을 [보기]에서 찾아 쓰세요.

[보기]
질겅질겅   말랑말랑   쑥쑥

(1) 정원에 난 잡초를 ☐☐ 뽑았다.

(2) 껌을 ☐☐☐☐ 씹었다.

(3) 찹쌀떡은 ☐☐☐☐ 부드러웠다.

넓히기 밑줄 친 낱말을 맞춤법에 맞게 고쳐 보세요.

(1) 쑥쑥 <u>뽀바</u> 쑥나물

→ ☐☐

(2) <u>참기르메</u> 참비름

→ ☐☐☐☐

(3) 탐정이 사건의 원인을 <u>케고</u> 다닌다는 소문이 돌았다.

→ ☐☐

시간 공부 날짜 ☐월 ☐일
푸는데 걸린 시간 ☐분

확인 맞은 개수 써보기

독해	☐개 /7개	어휘	☐개 /9개

어휘·어법 총정리 📖 👓

어휘 보기 의 낱말을 보고, 뜻과 어울리는 것을 골라 아래의 빈칸에 써보세요.

> 보기   딛다   뉘우치다   쑥쑥   지루하다   비교하다   접촉

1. 어떤 것이 다른 것과 맞붙어서 닿음.

2. 발로 내리누르다.

3. 둘 이상의 사물을 견주어 서로 간의 공통점, 차이점 등을 살피다.

4. 스스로 깨달아 반성하는 마음을 갖다.

5. 따분하고 싫증이 난 상태에 있다.

6. 자꾸 뽑아내는 모양.

어법 다음 중 맞춤법에 맞는 것을 골라 동그라미 하세요.

1. [끝말잇기 / 끈말잇기] 놀이

2. 답이 뭔지 [맞춰봐 / 맏혀봐 / 맞혀 봐].

3. [밥솓에 / 밥솥에] 밥이 많다.

4. 우주 저 [넘어 / 너머]의 별들.

5. 따뜻한 [해빝 / 햇빗 / 햇빛].

6. 늑대가 [나타낙다 / 나타났다 / 낳다낳다].

7. [곡갱이 / 곡괭이 / 곡깽이]를 들어라.

8. 혼자 [양 떼 / 양 때 / 양 떼]를 지켰어요.

확인 나의 점수 확인하기

어휘	개 / 6개	어법	개 / 8개

4주차

회차 / 영역	제목	계획 및 점검
16 인문|설명문	**편지 쓰기** • 나는 ☐월 ☐일 ☐시에 공부할 것입니다.	• 독해력에서 나의 점수는 ☐점입니다. • 어휘력에서 맞은 문제수는 ☐개 / 9개 입니다. • 어려웠던 문제는 _____ 번입니다.
17 사회|설명문	**혼자 살아요, 함께 살아요?** • 나는 ☐월 ☐일 ☐시에 공부할 것입니다.	• 독해력에서 나의 점수는 ☐점입니다. • 어휘력에서 맞은 문제수는 ☐개 / 9개 입니다. • 어려웠던 문제는 _____ 번입니다.
18 과학|설명문	**바다의 보석, 산호** • 나는 ☐월 ☐일 ☐시에 공부할 것입니다.	• 독해력에서 나의 점수는 ☐점입니다. • 어휘력에서 맞은 문제수는 ☐개 / 8개 입니다. • 어려웠던 문제는 _____ 번입니다.
19 산문문학|이야기	**7년 동안의 잠** • 나는 ☐월 ☐일 ☐시에 공부할 것입니다.	• 독해력에서 나의 점수는 ☐점입니다. • 어휘력에서 맞은 문제수는 ☐개 / 9개 입니다. • 어려웠던 문제는 _____ 번입니다.
20 운문문학|시	**봄** • 나는 ☐월 ☐일 ☐시에 공부할 것입니다.	• 독해력에서 나의 점수는 ☐점입니다. • 어휘력에서 맞은 문제수는 ☐개 / 9개 입니다. • 어려웠던 문제는 _____ 번입니다.

• 이번 주 독해력 문제에서 나의 점수는 평균 ☐점입니다.

• 이번 주 어휘력에서 맞은 문제수는 모두 ☐개입니다.

16

여러분은 언제 편지를 쓰나요? 보통, 어버이날이나 스승의 날, 가족의 생일에 편지를 쓰지요. 편지의 형식과 편지를 쓰는 방법을 알게 되면 편지 쓰는 데에 도움이 될 거예요.

점수
계산 1. 15점 2. 10점 3. 15점 4. 15점 5. 15점 6. 15점 7. 15점

편지는 첫머리, 본문, 끝맺음으로 이루어져 있어요.

- 첫머리에는 호칭❶, 첫인사, 계절 인사, 자기 안부, 상대 안부 등을 적어요.

- 본문에는 본격적인 사연을 쓰는데, 편지를 쓰게 된 주요 목적과 용건❷을 자연스럽고 솔직하게 쓰면 되어요.

- 끝맺음에는 끝인사와 날짜, 서명 등을 써요.

별이에게 ← 호칭
별이야, 잘 지냈어? ← 첫인사
요즘 너무 덥다. ← 계절인사
건강하게 생활하고 있는 거지? ← 상대 안부
난 잘 지내고 있어. ← 자기 안부

사실 이번 방학에 너희 집에 놀러 갈까 했는데, 네 생각은 어때? 네가 전학 가서 얼굴 보기도 너무 힘들고, 우리 부모님께서도 너희 부모님이 보고 싶으시다고 하셔서, 나보고 대표로 편지를 쓰라고 하셨어. 부모님께 여쭈어 보고 꼭 답장 줘야 해. ← 본문

만나는 그날까지 잘 있어. ← 끝인사
날짜 ← 20**년 8월 15일
서명 → 기쁨이가

편지는 상대와 이야기를 하는 것과 똑같아요. 단지 말이 아닌 글로 한다는 점만 다를 뿐이에요. 그러므로 예의와 격식❸을 갖추어서 써야 해요. 그리고 대화하듯이 자연스럽게 쓰는 게 좋아요. 위에서 말한 것처럼 단지 이야기하는 것을 글로 표현한 것이기 때문에 상대가 편안하고 자연스럽게 느낄 수 있도록 써야 해요. 또 쉽고 간결하게❹ 써야 해요.

한 번 한 말은 다시 정리하거나 고칠 수 없지만, ㉠편지는 미리 정리할 수 있다는 장점이 있어요. 그 장점을 이용해서 최대한 깔끔하게 써서 상대방이 쉽게 볼 수 있도록 해야 해요. 말하고자 하는 것이 분명하게 드러나도록 써야 해요. 특히 해결

해야 할 일이 ⓒ이써서 편지를 쓰는 경우에는 전달하려는 바를 분명하게 해야 해요. 상대방이 확실하게 편지의 내용을 알 수 있도록 써야 하니까요.

낱말풀이 ❶ 호칭 이름을 지어 불러 일컬음. ❷ 용건 해야 할 일. ❸ 격식 주위 환경이나 형편에 자연스럽게 어울리는 분수나 품위. ❹ 간결하다 간단하고 깔끔하다.

1

주제찾기

어떤 물음에 답한 글입니까? ————————————————————— ( )

① 편지는 누가 쓰나요?

② 편지는 어떻게 쓰나요?

③ 편지는 무엇 때문에 쓰나요?

④ 편지는 누구에게 쓰나요?

⑤ 편지는 어디에서 쓰나요?

해설편 08쪽

2

글감찾기

이 글의 중심 글감을 찾아 쓰세요.

3

사실이해

글에 나오지 <u>않은</u> 내용은 어느 것입니까? ————————————— ( )

① 편지의 짜임새

② 편지의 첫머리

③ 편지의 사연

④ 편지의 끝맺음

⑤ 편지의 길이

4 미루어알기 ㉠의 까닭으로 알맞은 것은 무엇입니까? ·································· ( )

① 대화이기 때문에

② 이야기이기 때문에

③ 글로 쓰는 것이기 때문에

④ 예의와 격식을 갖추기 때문에

⑤ 편안하고 자연스럽게 말하기 때문에

5 세부내용 ㉡을 바르게 고쳐 쓰세요.

6 적용하기 편지의 첫머리와 어울리지 <u>않는</u> 문장은 어느 것입니까? ············· ( )

① 잘 지냈어?

② 올겨울은 참 춥지.

③ 건강하게 잘 지내고 있지?

④ 나도 잘 지내고 있어.

⑤ 그럼 또 봐.

7 요약하기 편지의 형식을 아래처럼 간추렸습니다. 빈칸을 채우세요.

첫머리	호칭, ① ☐ ☐ ☐ , 계절 인사, 상대 안부, 자기 안부
본문	편지를 쓰게 된 주요 ② ☐ ☐ 과 용건
끝맺음	끝인사와 ③ ☐ ☐ , 서명

어휘 넓히기

뜻 낱말의 뜻풀이로 알맞은 것을 보기 에서 골라 괄호 안에 기호를 쓰세요.

(1) 안부 (   )

(2) 용건 (   )

(3) 호칭 (   )

보기
㉠ 이름을 지어 불러 일컬음.
㉡ 해야 할 일.
㉢ 어떤 사람이 편안하게 잘 지내는지 그렇지 않은지에 대한 소식.

다지기 아래 문장의 빈칸에 알맞은 낱말을 보기 에서 찾아 쓰세요.

보기
호칭   용건   안부

(1) 주말에 할머니께 [   ][   ] 전화를 드렸다.

(2) 김 선생님은 아직도 선생님이란 [   ][   ]이 어색하다.

(3) 전화로 [   ][   ]만 간단히 말하였다.

넓히기 밑줄 친 낱말을 맞춤법에 맞게 고쳐 보세요.

(1) 자연스럽고 솔찍하게 쓰면 되어요.

→ [   ][   ][   ][   ]

(2) 자연스럽게 쓰는 게 조아요.

→ [   ][   ][   ]

(3) 말하고자 하는 것이 분명하게 들어났다.

→ [   ][   ][   ][   ]

시간 공부 날짜 [   ] 월 [   ] 일

푸는데 걸린 시간 [   ] 분

확인 맞은 개수 써보기

| 독해 | [   ] 개 / 7개 | 어휘 | [   ] 개 / 9개 |

17

호랑이를 떠올려 보세요. 아마 홀로 이곳저곳 어슬렁거리는 호랑이 한 마리가 그려질 거예요. 꿀벌을 떠올려 보세요. 그럼 꽃과 벌집 사이를 바쁘게 오가는 꿀벌 무리가 그려질 거예요. 왜 동물마다 그런 생활 방식을 갖게 되었는지 생각해 보며 글을 읽어 봅시다.

점수계산   1. 15점   2. 15점   3. 10점   4. 15점   5. 15점   6. 15점   7. 15점

동물 중에는 혼자 생활하는 동물도 있고, 사람이 함께 모여 살듯이 여러 마리가 무리를 이루고 사는 동물도 있어요. 무리 생활을 하는 동물은 필요할 때만 무리를 짓는 동물과 평생을 무리 지어 생활하는 동물로 나뉘어요.

시베리아❶의 넓은 들판에 사는 시베리아 호랑이와 북아메리카에 사는 큰곰은 혼자 생활하는 대표적인 동물이에요. 대개 호랑이와 곰은 넓은 지역을 돌아다니며 혼자 사냥하는 습성을 지니고 있어요. 혼자 사는 동물은 넓

은 지역을 혼자 차지하고 동료들과 치열한 경쟁을 하지 않고 사냥한 먹이를 독차지할 수 있다는 좋은 점이 있어요. (㉠) 혼자 사냥을 하므로 사냥에 실패하면 쫄쫄 굶고 지내야 해요.

항상 무리 지어 생활하는 동물이 있어요. 꿀벌과 개미 같은 곤충류가 가장 대표적이지요. 이들을 '사회성 곤충'이라고 해요. 이 곤충은 무리 안에서 끊임없이 서로의 뜻을 주고받고 정해진 계급에 따라 각각의 역할이 뚜렷하게 나누어지는 특징이 있지요. 꿀벌의 경우, 여왕벌은 알을 낳고 일벌은 먹이를 모으고 무리를 지켜요. 그리고 수벌은 여왕벌과 짝짓기를 해서 번식을 담당한답니다.

필요할 때만 무리를 이루어 생활하는 동물도 있어요. 갈매기, 바다오리, 백로 같은 조류는 번식기❷가 되면 그때만 무리 생활을 해요. 무리를 지어 생활하면 짝을 쉽게 찾을 수 있고 잡아먹으려는 동물의 공격을 함께 막아낼 수 있기 때문이에요. 이들은 번식기가 끝나면 뿔뿔이 흩어지지요.

1
주제찾기

글의 중심 내용을 간추렸습니다. 빈칸에 알맞은 낱말을 넣으세요.

☐☐ 들이 살아가는 ☐☐

2
제목찾기

글의 제목을 아래와 같이 붙였습니다. 빈칸에 들어갈 낱말은 무엇입니까?( )

혼자 살아요, ☐☐ 살아요?

① 둘이   ② 셋이
③ 함께   ④ 홀로
⑤ 따로

3
사실이해

혼자 사는 동물은 어느 것입니까? ⋯⋯⋯⋯⋯⋯⋯⋯⋯⋯⋯⋯⋯ ( )

① 큰곰   ② 백로
③ 꿀벌   ④ 갈매기
⑤ 바다오리

4
미루어알기

글에 나온 '사회성'을 지니기 위해 꼭 필요한 것을 고르세요. ⋯⋯⋯⋯ ( )

① 열심히 일한다.
② 함께 공격한다.
③ 짝을 지어서 산다.
④ 계급이 있어야 한다.
⑤ 서로 뜻을 주고 받는다.

5 세부내용

⊙에 들어갈 말로 알맞은 것은 무엇입니까? ──────────────────── (   )

① 그리고

② 그래서

③ 하지만

④ 그렇다면

⑤ 왜냐하면

6 적용하기

혼자서도 할 수 있는 놀이를 고르세요. ──────────────────── (   )

① 농악놀이

② 줄다리기

③ 강강수월래

④ 연날리기

⑤ 윷놀이

7 요약하기

각 문단의 주요 내용을 간추렸습니다. 빈칸을 채우세요.

1문단	동물들이 사는 여러 가지 방식
2문단	① ⬜⬜ 사는 동물들
3문단	항상 ② ⬜⬜를 지어 사는 동물들
4문단	③ ⬜⬜ 할 때만 무리를 지어 사는 동물

어휘 넓히기

뜻 낱말의 뜻풀이로 알맞은 것을 보기 에서 골라 괄호 안에 기호를 쓰세요.

(1) 번식 (   )

(2) 계급 (   )

(3) 무리 (   )

보기
㉠ 여럿이 함께 모여 있는 떼.
㉡ 생물이 분고 늘어서 많이 퍼짐.
㉢ 사회, 일정한 조직 안에서의 지위.

다지기 아래 문장의 빈칸에 알맞은 낱말을 보기 에서 찾아 쓰세요.

보기
계급   번식   무리

(1) 축축한 곳에서는 세균이 잘 □□ 한다.

(2) 밤하늘에 별들이 □□ 를 지어 반짝이고 있었다.

(3) 엄마가 한 □□ 승진을 하셨다.

넓히기 밑줄 친 낱말을 맞춤법에 맞게 고쳐 보세요.

(1) 씨앗은 <u>대게</u> 이른 봄에 뿌린다.

→ □□

(2) 백로는 번식기가 끝나면 <u>뿔뿔히</u> 흩어지지요.

→ □□□

(3) 바다에 가서 <u>갈메기</u>를 보았다.

→ □□□

시간

공부 날짜 □월 □일

푸는데 걸린 시간 □분

확인 맞은 개수 써보기

독해	□개/7개	어휘	□개/9개

따뜻한 바다 아래에서 산호초를 본 적이 있나요? 예쁜 꽃밭처럼 보이기도 하고, 화려한 보석처럼 보이기도 하지요. 또 어떤 모양의 산호가 있는지 글을 읽으며 살펴봅니다.

점수계산   1. 15점   2. 15점   3. 10점   4. 15점   5. 15점   6. 15점   7. 15점

"난 몸에 가지가 있어. 때로는 꽃처럼 보이기도 해."

산호는 바위에 단단히 붙어서 자라는 식물처럼 보여요.

산호 가까이 다가갔더니 꽃잎이 팔랑거리며 움직여요.

누가 건드리지도 않았는데 말이에요.

"난 근육을 내 맘대로 움직이고 배가 고프면 다른 동물을 잡아먹어."

산호는 식물처럼 보이지만 사실은 동물이에요.

동물인 산호를 좀 더 자세히 살펴볼까요?

"내 몸속은 텅 비어 있고, 입은 몸 위쪽에 있어. 입 주위에는 촉수❶가 여러 개 달려 있고 말이야."

산호는 여럿이 모여 사는데, 몸의 아랫부분은 서로 붙어 있어요.

"난 나뭇가지 모양 산호야. 가지를 뻗듯이 쑥쑥 자라지."

접시 모양, 버섯 모양, 뇌 모양으로 자라는 산호도 있어요.

수백만 개의 폴립❷으로 이루어진 산호는 아주 오랫동안 여러 모양을 이루며 커다랗게 자라요.

낱말풀이 ❶촉수 하등 무척추동물의 몸 앞부분이나 입 주위에 있는 돌기 모양의 기관. ❷ 폴립 산호 같은 동물이 자라면서 한 시기에 나타나는 몸의 모양. 원통 모양이며 위쪽 끝에 입이 있고 그 주위에 몇 개의 촉수가 있다. 몸의 아래에는 끈끈한 발이 있어서 바위 따위에 붙어 생활한다.

1
주제찾기

글에서 산호에 대해 주로 전하는 내용은 무엇입니까? ············ ( )

① 크기

② 길이

③ 모양

④ 높이

⑤ 깊이

2
글감찾기

글에 나온 중심 글감의 이름을 쓰세요.

□□

4주 18회

해설편 09쪽

3
사실이해

글에서 나오지 않은 산호 모양은 어느 것입니까? ············ ( )

① 나뭇가지

② 접시

③ 버섯

④ 뇌

⑤ 손

4
미루어알기

글을 읽고 새롭게 생각해 낸 내용으로 알맞은 것을 고르세요. ············ ( )

① 산호는 씨앗으로 번식한다.

② 산호를 건드리면 독을 뿜는다.

③ 산호는 근육과 뼈를 가지고 있다.

④ 산호는 몸 위쪽으로 먹이를 먹는다.

⑤ 산호가 오래 살면 몸속이 꽉 차게 된다.

5
세부내용

산호를 동물이라고 할 수 있는 까닭은 무엇입니까? ─────────── (   )

① 가지가 있다.

② 꽃처럼 보인다.

③ 커다랗게 자란다.

④ 근육을 내 맘대로 움직인다.

⑤ 몸 아랫부분이 서로 붙어 있다.

6
적용하기

다음 중 산호와 공통된 특성이 가장 <u>적은</u> 것은 어느 것인가요? ─────────── (   )

① 미역

② 조개

③ 문어

④ 고등어

⑤ 해삼

7
요약하기

산호에 대해 아래와 같이 간추렸습니다. 빈칸을 채우세요.

> 산호는 바위에 붙어 단단히 자라는 ① ☐☐ 처럼 보이지만, 사실은 ② ☐☐ 입니다. 근육을 마음대로 움직이고 배가 고프면 다른 동물을 잡아먹기 때문입니다.

어휘 넓히기

뜻 낱말의 뜻풀이로 알맞은 것을 보기 에서 골라 괄호 안에 기호를 쓰세요.

(1) 커다랗다 ( )

(2) 팔랑거리다 ( )

(3) 뻗다 ( )

보기
㉠ 자라며 나아가다.
㉡ 가볍게 날아다니다.
㉢ 매우 크다. 또는 아주 큼직하다.

해설편 09쪽

다지기 아래 문장의 빈칸에 알맞은 낱말을 보기 에서 찾아 쓰세요.

보기
커다랗게   뻗어   팔랑거리며

(1) 이제 마음 편히 두 팔을 위로 ☐☐ 보자.

(2) 바람에 나뭇잎이 ☐☐☐☐☐ 떨어졌다.

(3) 너무 놀라서 눈을 ☐☐☐☐ 떴다.

넓히기 밑줄 친 낱말을 맞춤법에 맞게 고쳐 보세요.

(1) 단단히 <u>부터서</u> 자라는 식물처럼 보여요.

→ ☐☐☐

(2) 산호를 좀 더 <u>자새히</u> 살펴볼까요?

→ ☐☐☐

시간

공부 날짜 ☐ 월 ☐ 일

푸는데 걸린 시간 ☐ 분

확인

맞은 개수 써보기

| 독해 | ☐ 개 / 7개 | 어휘 | ☐ 개 / 8개 |

매미 애벌레는 여러 번 허물을 벗고 땅속에서 3~7년 동안 살아요. 그러다 여름이 되면 비로소 땅 위로 올라와 마지막 허물을 벗고 어른 매미가 된답니다. 정말 오랜 시간을 땅 속에서 기다리네요.

점수 계산   1. 15점   2. 15점   3. 10점   4. 15점   5. 15점   6. 15점   7. 15점

[앞의 줄거리] 개미 마을에 흉년이 계속되어 일개미들이 아무리 열심히 일해도 광이 비어가기 시작했습니다. 그러던 어느 날, 어린 일개미가 아주 큰 먹이를 보았고, 이내 두꺼운 갑옷을 입고 있는 것 같은 큰 먹이를 차지하려고 개미 떼가 새까맣게 달라붙었습니다. 늙은 개미가 나서서 일개미들을 물러서게 하더니, 큰 먹이를 보고서 그것이 매미라고 했습니다.

"이상하다. 매미라면 우리가 땀 흘려 일할 때 시원한 나무 그늘에서 온종일 노래나 부르는 팔자 좋은 놈일 텐데, 이 깜깜한 땅속에서 뭘 하지?"

"날개도 없잖아!"

"생긴 것이 달라, 이건 매미가 아닐 거야."

개미들이 시끄럽게 떠들었습니다.

"조용히 들어라. 이건 틀림없는 매미란다. 매미는 한여름을 시원한 나무 그늘에서 노래 부르기 위해 몇 년이나 어두운 땅속에서 날개와 목청을 다듬는단다. 보아하니, 이 매미는 5년도 넘게 참고 기다렸겠는데? 내 짐작이 틀림없다면 7년은 족히 됐을라. 한여름의 노래를 위해서 7년을……."

개미들은 7년이 그저 기나긴 시간이라는 것밖에는 그것이 얼마만 한 동안인지를 짐작도 할 수 없습니다. 여태껏 그들이 살아온 동안의 몇 곱절이나 되기 때문입니다.

"우리가 땀 흘려 일하는 동안, 마치 '용용 죽겠지.' 하는 것처럼 팔자 좋게 노래나 부르는 매미는 우리들의 먹이가 돼도 싸요❶. 어서 우리 마을의 광 속으로 나르라고 명령을 내리세요."

늙은 개미는 젊은 개미들이 좀 더 생각할 수 있게 먹이 앞을 막아서며 말했습니다.

"매미는 그 한 철의 노래를 위해 7년이나 어둠과 외로움 속에서 자기의 재주를 갈고 닦았는데도……."

젊은 개미가 투덜댔습니다.

"노력하려면 우리처럼 먹이를 위해서 해야지, 아무짝에도 쓸모없는 그까짓 노래를 위해 7년 아니라 10년을 했어도 대단할 게 뭐 있담."

그러자 또 다른 개미들이 여기저기서 한마디씩 하는 소리가 들렸습니다.

"나는 매미의 노랫소리가 참 듣기 좋았는데, 일하는 고달픔이 가실 만큼……."

"나도야, 매미의 노래를 들으며 나는 처음으로 땅 위의 여름이 얼마나 아름다운가를 알았어."

"나도 네 기분을 알 것 같아. 언젠가 친구들하고 뙤약볕 아래에서 송충이 한 마리를 끄느라 애를 쓰고 있었는데, 매미 소리가 들리잖아? ㉠여름의 산과 들이 햇빛에 빛나는 걸 정신없이 바라볼 수 있었던 건 순전히 매미의 노래 때문이었어."

"그렇담 이 매미를 살려 주란 소리가 되잖아. 가만있자, 이게 정말 매미일까? 이 두루뭉수리❷ 갑옷 속에서 꿈틀대는 게."

"㉡아닐 거야. 높은 나무로 날아오를 날개도, 아름다운 소리를 내는 악기도 보이지 않는걸. 무엇보다도 이게 매미라면 햇빛을 찾아 땅 위로 나갈 수가 있어야 할 텐데, 그걸 못 하고 우리의 포로가 된 것만 봐도 이건 매미가 아닌 게 분명해."

개미들은 또다시 술렁거리기 시작하였습니다.

낱말풀이 ❶ 싸다 저지른 일에 비해 받는 벌이 마땅하거나 오히려 적다. ❷ 두루뭉수리 본뜻: 형태가 없이 함부로 뭉쳐진 물건을 이르는 말. 바뀐 뜻: 말이나 행동이 이것도 아니고 저것도 아니어서 또렷하지 못한 사람을 가리키는 말.

---

1 주제찾기

글의 중심 내용을 아래의 구절로 표현했습니다. 빈칸에 알맞은 낱말을 쓰세요.

새로 발견한 먹이를 둘러싼 □□들 사이의 말다툼

2 제목찾기

땅속 매미의 처지와 가장 어울리는 제목을 찾아보세요. ……………… (　　)

① 7년 동안의 잠　　　　　　　② 두껍게 입은 갑옷

③ 개미 마을의 흉년　　　　　　④ 매미를 발견한 일개미

⑤ 나무 그늘에서 노래하는 곤충

3 사실이해

늙은 개미는 땅속의 매미가 몇 년을 참고 기다렸을 것이라고 했나요? …… (　　)

① 3년　　　② 4년　　　③ 5년　　　④ 6년　　　⑤ 7년

4 **미루어알기**

⊙의 바탕에는 어떤 마음이 깔려 있습니까? ———————————————— (   )

① 슬픔   ② 부러움   ③ 미움

④ 기쁨   ⑤ 두려움

5 **세부내용**

젊은 개미가 ⓒ처럼 매미가 아니라고 한 까닭은 무엇입니까? ———————— (   )

① 먹이를 잃어버릴까 봐서

② 늙은 개미의 말을 못 믿어서

③ 개미들이 술렁거리기 시작해서

④ 날개와 노래하는 악기가 잘 보여서

⑤ 매미라면 햇빛을 찾아 땅 위로 나가는 길을 모를 리가 없어서

6 **적용하기**

이야기를 다 읽고 나서 바람직한 생각을 떠올린 친구 2명의 이름을 써보세요.

> **정윤**: 나와 다른 친구의 생각도 존중해야 해.
>
> **태민**: 아무리 힘들어도 거짓말은 하면 안 돼.
>
> **남국**: 모든 생명은 다 귀한 가치가 있어.
>
> **호진**: 이웃과 다퉈서는 안 돼.

(   )

7 **요약하기**

이야기를 아래와 같이 간추렸습니다. 빈칸에 공통으로 들어갈 말을 찾아 쓰세요.

> ☐☐의 한살이를 잘 아는 늙은 개미는 이 ☐☐가 7년 동안 기다렸을 것이라고 이야기했다. 그러자 ☐☐를 먹자는 개미들과 ☐☐를 살려주자는 개미들이 서로 다투었다.

어휘 넓히기

뜻 낱말의 뜻풀이로 알맞은 것을 보기에서 골라 괄호 안에 기호를 쓰세요.

(1) 곱절　　　 (　　　)

(2) 짐작　　　 (　　　)

(3) 술렁거리다 (　　　)

> **보기**
> ㉠ 사정이나 형편 따위를 어림잡아 헤아림.
> ㉡ 어떤 수나 양을 두 번 합한 만큼.
> ㉢ 자꾸 어수선하게 소란이 일다.

다지기 아래 문장의 빈칸에 알맞은 낱말을 보기에서 찾아 쓰세요.

> **보기**
> 술렁거리기　　　곱절　　　짐작

(1) 날씨가 무더워지면서 공부하기가 □□로 힘들다.

(2) 무슨 일이 벌어질지 대충 □□이 간다.

(3) 마을 전체가 그 사건으로 □□□□□ 시작했다.

넓히기 밑줄 친 낱말을 맞춤법에 맞게 고쳐 보세요.

(1) 이 깜깜한 땅속에서 멀 하지?

→ □

(2) 늙은 개미는 절믄 개미들이 좀 더 생각할 수 있게

→ □□

(3) 내 친구가 되도 좋다.

→ □□

시간 공부 날짜 □ 월 □ 일

푸는데 걸린 시간 □ 분

확인 맞은 개수 써보기

| 독해 | □개/7개 | 어휘 | □개/9개 |

20

'춘면'이라는 말이 있어요. '봄철에 기운 없이 나른하게 오는 잠'이라는 뜻이에요. 이렇게, 봄이 되면 왠지 잠이 더 잘 오는 것 같아요.

점수
계산

1. 15점 2. 15점 3. 10점 4. 15점 5. 15점 6. 15점 7. 15점

우리 아기는

아래 발치❶에서 코올코올,

고양이는

부뚜막❷에서 가릉가릉,

아기 바람이

나뭇가지에서 소올소올,

아저씨 해님이

하늘 한가운데서 째앵째앵

낱말
풀이

❶ 발치 1. 누울 때 발이 가는 쪽. 2. 발이 있는 쪽. 3. 사물의 꼬리나 아래쪽이 되는 끝부분. ❷ 부뚜막 아궁이 위에 솥을 걸어 놓는 언저리로 흙과 돌을 섞어 쌓아 편평하게 만든다.

1

주제찾기

시에서 드러내려고 하는 중심 내용은 무엇입니까? ──────────── (   )

① 잠자는 아기

② 솔솔 부는 봄바람

③ 봄날의 따스한 풍경

④ 햇볕을 받으며 피는 꽃

⑤ 바람에 흔들리는 나뭇가지

2

글감찾기

시에서 느껴지는 계절의 이름을 쓰세요.

3

사실이해

시에 그려지지 <u>않은</u> 것은 어느 것입니까? ──────────── (   )

① 아기

② 바람

③ 해님

④ 고양이

⑤ 강아지

4

미루어알기

시에서 떠올릴 수 있는 장면은 어느 것입니까? ──────────── (   )

① 발치에서 잠든 아기

② 바느질을 하는 엄마

③ 세차게 부는 비바람

④ 눈이 소복소복 쌓인 길

⑤ 해님이 들어간 어두운 하늘

5

세부내용

시에서 각 묶음[연]의 끝에 나타난 말의 특징은 무엇입니까? ----------------- (　　　)

① 소리가 긴 말

② 소리가 짧은 말

③ 모양이나 소리를 흉내 내는 말

④ 가르침을 주는 말

⑤ 고마운 마음을 담은 말

6

적용하기

이 시의 계절과 관계가 <u>적은</u> 것은 어느것입니까? ----------------- (　　　)

① 먼 산의 진달래꽃

② 냇가의 아지랑이

③ 들나물, 쑥나물

④ 하늘 높이 나는 고추잠자리

⑤ 파릇파릇 돋아나는 새싹

7

요약하기

시의 내용을 아래와 같이 간추렸습니다. 빈칸을 채우세요.

이 시의 계절은 ① [　　] 이에요. 아기가 엄마의 발치에서 코올코올

② [　　] 을 자는 모습에서 편안함과 한가로움을 느낄 수 있어요.

어휘 넓히기

뜻 낱말의 뜻풀이로 알맞은 것을 [보기]에서 골라 괄호 안에 기호를 쓰세요.

(1) 한가운데 (　　　)

(2) 가릉가릉 (　　　)

(3) 발치 　　(　　　)

[보기]
ㄱ 누워 있거나 다리를 뻗고 있을 때 발이 있는 곳.
ㄴ 고양이나 돌고래 따위가 자꾸 내는 소리.
ㄷ 공간이나 시간, 상황 따위의 바로 가운데.

4
주
20
회

해설편
10쪽

다지기 아래 문장의 빈칸에 알맞은 낱말을 [보기]에서 찾아 쓰세요.

[보기]
가릉가릉 　　발치 　　한가운데

(1) 아기가 침대에서 구르다가 아빠 □□ 에서 잠을 잔다.

(2) 우리집 고양이가 내 무릎에 누워 □□□□ 소리를 냈다.

(3) 화살이 과녁 □□□□ 에 정확히 맞았다.

넓히기 밑줄 친 낱말을 맞춤법에 맞게 고쳐 보세요.

(1) 나뭇까지가 바람에 흔들립니다.

→ □□□□

(2) 운동장 한가운대서 크게 소리를 질렀습니다.

→ □□□□

(3) 붏드막에 가마솥이 걸려 있습니다.

→ □□□

시간 공부 날짜 □ 월 □ 일

푸는데 걸린 시간 □ 분

확인 맞은 개수 써보기

독해	□ 개／7개	어휘	□ 개／9개

어휘 보기의 낱말을 보고, 뜻과 어울리는 것을 골라 아래의 빈칸에 써보세요.

보기   무리   짐작   독차지   단단하다   안부   용건

1. 어떤 사람이 편안하게 잘 지내는지 그렇지 않은지에 대한 소식.

2. 해야 할 일

3. 여럿이 함께 모여 있는 떼.

4. 혼자서 모두 차지함

5. 양이 쉽게 변하거나 부서지지 않을 만큼 강도가 세다.

6. 사정이나 형편 따위를 어림잡아 헤아림.

어법 다음 중 맞춤법에 맞는 것을 골라 동그라미 하세요.

1. [계급 / 개급]에 따라 역할이 [다르다 / 틀리다].

2. [숫벌 / 수펄 / 수벌]은 여왕벌과 짝짓기를 합니다.

3. 도깨비가 나타나자, 사람들이 [뿔뿔히 / 뿔뿔이] 흩어졌어요.

4. 그런 경우엔 [대개 / 대게] 어른들 말이 맞더라.

5. [심심해서 / 심심애서] 장난을 쳤다.

6. 족히 7년은 [되 / 돼] 보였다.

7. 일하는 [고닲음 / 고달픔 / 고달픔]이 사라졌다.

8. 이불 안에서만 [꿈틀돼지 / 꿈툴대지 / 꿈틀대지] 말고 나가서 놀아라.

확인 **나의 점수 확인하기**

어휘	개 /	6개	어법	개 /	8개

5주차

회차 / 영역	제목	계획 및 점검
21 인문|설명문	요즘과 달라요 • 나는 ☐월 ☐일 ☐시에 공부할 것입니다.	• 독해력에서 나의 점수는 ☐점입니다. • 어휘력에서 맞은 문제수는 ☐개 / 9개 입니다. • 어려웠던 문제는 _____ 번입니다.
22 사회|설명문	민속놀이 • 나는 ☐월 ☐일 ☐시에 공부할 것입니다.	• 독해력에서 나의 점수는 ☐점입니다. • 어휘력에서 맞은 문제수는 ☐개 / 9개 입니다. • 어려웠던 문제는 _____ 번입니다.
23 과학|설명문	고래가 물을 뿜어요 • 나는 ☐월 ☐일 ☐시에 공부할 것입니다.	• 독해력에서 나의 점수는 ☐점입니다. • 어휘력에서 맞은 문제수는 ☐개 / 9개 입니다. • 어려웠던 문제는 _____ 번입니다.
24 산문문학|이야기	마음의 색깔 • 나는 ☐월 ☐일 ☐시에 공부할 것입니다.	• 독해력에서 나의 점수는 ☐점입니다. • 어휘력에서 맞은 문제수는 ☐개 / 9개 입니다. • 어려웠던 문제는 _____ 번입니다.
25 운문문학|시	풀이래요 • 나는 ☐월 ☐일 ☐시에 공부할 것입니다.	• 독해력에서 나의 점수는 ☐점입니다. • 어휘력에서 맞은 문제수는 ☐개 / 9개 입니다. • 어려웠던 문제는 _____ 번입니다.

• 이번 주 독해력 문제에서 나의 점수는 평균 ☐점입니다.

• 이번 주 어휘력에서 맞은 문제수는 모두 ☐개입니다.

21

민속박물관에 가 본 적이 있나요? 민속박물관에 가면 옛날 사람들이 어떻게 살았는지 알 수 있어요. 사용하던 도구에는 무엇이 있는지, 어떤 옷을 입고 무엇을 먹고 살았는지 생생하게 살펴볼 수 있답니다.

점수
계산   1. 15점   2. 15점   3. 10점   4. 15점   5. 15점   6. 15점   7. 15점

민속박물관❶에서 옛날 집 안의 모습을 보았습니다. 옛날에도 텔레비전, 라디오, 전화기가 있었습니다. 그런데 신기하게도 모양이나 사용 방법이 요즘에 우리가 보는 물건과 아주 달랐습니다. 옛날 집 안에 있는 물건을 ㉠같이 살펴볼까요?

옛날 텔레비전은 우리가 보는 요즘 텔레비전과 아주 다릅니다. 옛날 텔레비전은 네모 상자 모양이고 화면이 작습니다. 화면은 평평하지 않고 가운데 부분이 볼록하게 튀어나와 있습니다. 그리고 다른 방송을 보려면 손으로 돌리는 동그란 모양의 장치를 이용합니다.

옛날 라디오는 할머니께서 자주 들으시는 요즘 라디오와 아주 다릅니다. 박물관에 있는 옛날 라디오는 텔레비전보다 작은 네모 상자 모양입니다. 동그란 장치가 있는 곳에는 투명한❷ 자처럼 생긴 것이 있고 그 안에 움직일 수 있는 빨간 선이 있습니다. 동그란 장치를 돌리면 빨간 선이 움직여서 방송을 들을 수 있습니다.

옛날 전화기는 요즘 전화기와 아주 다릅니다. 박물관에서 본 옛날 전화기는 요즘 전화기와 모양이나 크기뿐만 아니라 사용 방법이 달라서 신기합니다. 박물관에서 본 옛날 전화기는 위쪽이 좁은 과자 상자 모양이고 까만색입니다. 그리고 전화기 가운데에는 손으로 돌릴 수 있는 동그란 장치가 있습

니다. 동그란 장치는 전화를 걸 때 사용합니다.

 낱말풀이
❶ 민속박물관 보통 사람들이 살아가는 방식, 풍속, 습관과 관련된 자료들을 모아 전시한 박물관.
❷ 투명한 속까지 환히 비치도록 맑은.

1
주제찾기

글의 중심 내용으로 알맞은 것을 고르세요. ─────────────── (　　)
① 옛날 라디오는 요즘 라디오와 아주 다르다.
② 민속박물관에서 옛날 집 안의 모습을 보았다.
③ 옛날 집 안에 있었던 물건은 오늘날과 다르다.
④ 옛날 텔레비전은 네모 상자 모양이고 화면이 작다.
⑤ 옛날 전화기는 위쪽이 좁은 과자 상자 모양이고 까만색이다.

2
글감찾기

글쓴이가 글을 쓰기 위해 다녀온 곳을 글에서 찾아 쓰세요.

3
사실이해

민속박물관에서 본 물건이 <u>아닌</u> 것을 <u>두 개</u> 고르세요. ───────── (　　　)
① 옛날 교과서
② 옛날 전화기
③ 옛날 라디오
④ 옛날 컴퓨터
⑤ 옛날 텔레비전

4 민속박물관에서 본 세 가지 물건이 모두 가지고 있는 것은 무엇입니까? ─ (   )

미루어알기
① 화면
② 빨간 선
③ 투명한 자
④ 네모 상자
⑤ 동그란 장치

5 ㉠과 바꾸어 쓰기에 알맞은 낱말은 어느 것입니까? ─────────── (   )

세부내용
① 다시
② 그만
③ 함께
④ 벌써
⑤ 무척

6 텔레비전과 라디오는 무엇을 보거나 듣는 데 필요한 물건인가요? ──── (   )

적용하기
① 방송
② 그림
③ 풍경
④ 조각
⑤ 건물

7 글을 문단에 따라 다음과 같이 정리했습니다. 빈칸을 채우세요.

요약하기

1문단	옛날 집 안에 있었던 물건
2문단	요즘 ① ☐☐☐☐과 다른 옛날 ☐☐☐☐
3문단	요즘 ② ☐☐☐와 다른 옛날 ☐☐☐
4문단	요즘 ③ ☐☐☐와 다른 옛날 ☐☐☐

어휘 넓히기

뜻 낱말의 뜻풀이로 알맞은 것을 [보기]에서 골라 괄호 안에 기호를 쓰세요.

(1) 볼록하다 (　　)
(2) 살펴보다 (　　)
(3) 평평하다 (　　)

[보기]
㉠ 관심을 가지고 자세히 보다.
㉡ 고르고 판판하다.
㉢ 물체의 겉 부분이 둥글고 작게 튀어나와 있다.

[참고] '편평하다'는 '넓고 평평하다'는 뜻이에요.

다지기 아래 문장의 빈칸에 알맞은 낱말을 [보기]에서 찾아 쓰세요.

[보기]
볼록하다　　　평평하다　　　살펴봤다

(1) 두리번대며 주위를 ☐☐☐☐ .

(2) 사탕을 잔뜩 넣어 주머니가 ☐☐☐☐ .

(3) 아기들은 발바닥이 ☐☐☐☐ .

넓히기 밑줄 친 낱말을 맞춤법에 맞게 고쳐 보세요.

(1) 할머니께서 자주 들으시는

→ ☐☐☐☐☐

(2) 요즘 전화기와 아주 다릅니다.

→ ☐☐☐☐

(3) 다른 방송을 보려면 어떠케 해야 하나요?

→ ☐☐☐

해설편 11쪽

시간 공부 날짜 ☐월 ☐일
푸는데 걸린 시간 ☐분

확인 맞은 개수 써보기
독해 ☐개/7개　　어휘 ☐개/9개

22

여러분은 숨바꼭질이나 팽이치기, 연날리기를 즐겨 하나요? 이 놀이들은 예부터 오늘날까지 전해 오는 '민속놀이'랍니다. 글을 읽고 민속놀이에 대해 더 알아봅니다.

 점수 계산 1. 15점 2. 15점 3. 10점 4. 15점 5. 15점 6. 15점 7. 15점

　　각 지방의 생활과 풍속이 잘 나타나 있는 놀이로, 지금 사는 사람들에게 전하여 내려오는 놀이를 '민속놀이'라고 해요.

　　민속놀이는 신분이 높은 사람들보다는 보통 사람들을 중심으로 놀아서 여러 사람이 함께 즐기는 특징이 있으며, 삶을 즐기는 태도와 풍부한 정서를 담고 있어요. 민속놀이는, 예부터 사람 대부분이 농사를 지었던 우리나라에서는 농사지으면서 때의 변화에 맞추어 해야 할 일을 곁들인 풍속으로 이루어지는 것이 많았어요. 민속놀이는 가무놀이 · 경기놀이 · 겨루기놀이 · 아동놀이로 구분되어요. 가무놀이는 노래와 춤이 결합한 놀이이고, 경기놀이는 여러 사람이 경기를 하여 순위를 다투는 놀이입니다. 겨루기 놀이는 두 사람이 힘을 겨루어 승패를 가르는 놀이이고, 아동놀이는 어린이들이 즐기는 놀이입니다.

〈민속놀이의 종류〉

• **가무놀이**: 농악놀이 · 탈놀이 · 옹헤야 · 쾌지나칭칭나네 · 강강술래 · 놋다리놀이 · 화전놀이 · 마당놀이 · 봉죽놀이 · 길쌈놀이 · 다리밟기 · 꼭두각시놀음 · 등놀이 · 불꽃놀이 등

• **경기놀이**: 그네뛰기 · 널뛰기 · 씨름 · 활쏘기 · 줄다리기 · 돌팔매놀이 · 쥐불놀이 · 횃불싸움 · 차전놀이 · 제기차기 · 공차기 · 격구 · 소싸움놀이 등

• **겨루기놀이**: 윷놀이 · 장기 · 바둑 · 고누 · 칠교놀이 · 산가지놀이 등

- **아동놀이**: 수박치기 · 풀싸움 · 꽃싸움 · 실뜨기 · 공기놀이 · 줄넘기 · 대말타기 · 자치기 · 숨바꼭질 · 바람개비놀이 · 썰매타기 · 팽이치기 · 연 띄우기 등

1 주제찾기

글에서 다룬 중심 내용을 가장 잘 드러낸 것을 고르세요. ———————— (　　)

① 팽이, 윷 등 나무로 만든 놀잇감
② 요즘 어린이들이 즐겨 하는 놀이
③ 사람들에게 전하여 내려오는 이야기
④ 사람들의 생활과 풍속이 잘 나타나 있는 놀이
⑤ 사람들의 기쁨과 슬픔을 두루 담고 있는 노래

2 글감찾기

글에서 중요하게 다뤄진 글감을 찾아 한 낱말로 쓰세요.

3 사실이해

오늘날도 즐기고 있는 '아동놀이'는 어느 것입니까? ———————— (　　)

① 바둑　　　　　　　　　② 윷놀이
③ 옹헤야　　　　　　　　④ 그네뛰기
⑤ 숨바꼭질

4 미루어알기

글을 읽고 알 수 있는 것은 무엇입니까? ———————— (　　)

① 요즘은 민속놀이를 하지 않는다.
② 민속놀이는 농사일과 관계가 깊다.
③ 민속놀이의 종류에 어른놀이는 없다.
④ 민속놀이는 혼자 하는 놀이가 제일 많다.
⑤ 민속놀이는 겨루기놀이가 제일 재미있다.

5

세부내용

이기고 지는 쪽이 나누어지는 놀이가 <u>아닌</u> 것은 어느 것인지 고르세요. --- (   )

① 풀싸움
② 윷놀이
③ 차전놀이
④ 줄다리기
⑤ 강강술래

6

적용하기

다음 글에서 설명하고 있는 놀이의 이름은 무엇입니까? --------- (   )

> 다섯 개 또는 그 이상의 조그맣고 동그란 돌을 가지고 던져 손으로 잡으며 노는 아동놀이이다. 돌을 잡을 때 옆의 돌을 건드리거나 내려오는 돌을 못 잡아서 실수하면 차례가 다음 사람에게 넘어간다.

① 화전놀이
② 다리밟기
③ 줄다리기
④ 칠교놀이
⑤ 공기놀이

7

요약하기

민속놀이의 종류를 다음과 같이 정리했습니다. 빈칸을 채우세요.

가무놀이	노래와 춤이 결합한 놀이
경기놀이	여러 사람이 ① ☐☐ 하여 순위를 다투는 놀이
겨루기놀이	두 사람이 ② ☐ 을 겨루어 승패를 가르는 놀이
아동놀이	③ ☐☐☐ 들이 즐기는 놀이

어휘 넓히기

뜻 낱말의 뜻풀이로 알맞은 것을 보기 에서 골라 괄호 안에 기호를 쓰세요.

(1) 겨루다　　(　　)

(2) 곁들이다　(　　)

(3) 풍부하다　(　　)

보기	
	⊙ 넉넉하고 많다.
	ⓒ 덧붙이거나 함께하다.
	ⓒ 서로 버티어 승부를 다투다.

다지기 아래 문장의 빈칸에 알맞은 낱말을 보기 에서 찾아 쓰세요.

보기

곁들여　　　풍부한　　　겨루는

(1) 돼지고기 수육에 보쌈김치를 ☐☐☐ 먹었다.

(2) 비빔밥은 영양이 ☐☐☐ 음식이다.

(3) 오늘은 우리 반에서 누가 가장 빠른지 ☐☐☐ 날이다.

넓히기 밑줄 친 낱말을 맞춤법에 맞게 고쳐 보세요.

(1) <u>숨박꼭질</u>은 아동놀이로 구분돼요.

→ ☐☐☐☐

(2) <u>살물</u> 즐기는 태도를 알 수 있어요.

→ ☐☐

(3) 연 <u>띠우기</u> 놀이를 했어요.

→ ☐☐☐

해설편 11쪽

시간 공부 날짜 ☐ 월 ☐ 일　　푸는데 걸린 시간 ☐ 분

확인 맞은 개수 써보기

독해	☐ 개 / 7개	어휘	☐ 개 / 9개

23

물에 살면 모두 물고기 같은 어류일까요? 고래는 물에서 살지만, 사람과 같은 포유류입니다. 젖을 먹여 새끼를 키우고 아가미 호흡이 아닌 허파 호흡을 하지요. 그래서 고래가 숨을 쉬려면 바다 위로 나와야 한답니다.

 1. 15점   2. 15점   3. 10점   4. 15점   5. 15점   6. 15점   7. 15점

옛날에 사람들이 고래를 발견하면, "저기, 고래가 물을 뿜는다!" 하고 소리쳤어. 하지만 사람들은 고래가 왜 물을 뿜는지 알지 못하였단다.

그렇다면 고래는 왜 물을 뿜을까? 고래의 숨구멍은 머리 꼭대기에 있어. 그래서 고래는 물속에서 숨을 쉴 수 없으므로 숨을 쉬려면 물 위로 올라와야 해. 오랫동안 잠수한 고래가 참고 있던 숨을 한꺼번에 숨구멍으로 뿜어낼 때, 고래의 따뜻한 숨과 차가운 공기가 서로 닿아 뭉치면서 흰 물보라❶처럼 보여. 마치 고래가 물을 뿜는 것처럼 보이지.

고래는 종류마다 독특하게 물을 뿜어. 그래서 물을 뿜는 모양만 보아도 어떤 고래인지 알 수 있지. 물을 가장 높이 내뿜는 고래는 대왕고래야. 그래서 멀리서도 대왕고래의 물보라는 쉽게 알아볼 수 있어. 향고래는 비스듬히 물을 뿜는단다. 숨구멍이 왼쪽으로 치우쳐 있기 때문이야. 그리고 참고래는 다른 고래들과 달리 물줄기가 두 줄기로 뻗어 올라간단다. 그래서 마치 (㉠)처럼 보여.

정말 고래는 종류에 따라 특이하게 물을 뿜지? 고래가 이렇게 내뿜는 물보라는 말갛게 보이지만 사실은 진득진득하다고 해.

❶ 물보라 물결이 바위 따위에 부딪쳐 사방으로 흩어지는 잔물방울.

1
주제찾기

글의 중심 내용을 다음과 같이 간추렸습니다. 빈칸에 알맞은 낱말을 넣으세요.

고래가 물을 뿜는 □□과(와) 고래의 □□에 따라 달라지는 물 뿜기의 모양

2
제목찾기

글의 제목을 고르세요. ──────────────────── ( )

① 고래가 꿈을 꾸어요.
② 고래가 물을 뿜어요.
③ 고래가 새끼를 낳아요.
④ 고래가 힘차게 헤엄쳐요.
⑤ 고래의 몸집은 아주 커요.

3
사실이해

글에 나온 고래 중, 물을 가장 높이 뿜는 고래의 이름은 무엇입니까? ─── ( )

① 돌고래
② 향고래
③ 범고래
④ 참고래
⑤ 대왕고래

4
미루어알기

글을 읽고 얻은 새로운 깨달음은 어느 것입니까? ──────────── ( )

① 고래의 숨구멍은 꼬리 끝에 있다.
② 고래는 아가미로 숨을 쉬지 않는다.
③ 바닷속의 깊은 곳에서 고래가 숨을 쉰다.
④ 참고래는 물줄기가 하나로 뻗어 올라간다.
⑤ 고래가 내뿜는 물보라는 만져보면 말갛다.

5

세부내용

⊙에 알맞은 낱말은 무엇입니까? ────────────────── (   )

① 분수
② 폭포
③ 냇물
④ 호수
⑤ 홍수

6

적용하기

고래와 같은 젖먹이 동물을 포유류라고 해요. 다음 중 이와 같은 동물을 고르세요. ────────────────── (   )

① 펭귄
② 도마뱀
③ 상어
④ 원숭이
⑤ 거북이

7

요약하기

글을 문단에 따라 다음과 같이 정리했습니다. 빈칸을 채우세요.

1문단	① ☐ ☐ 가 왜 물을 뿜는지 알지 못했던 옛날 사람들.
2문단	고래가 물을 뿜는 ② ☐ ☐ .
3문단	종류마다 다른 고래의 물 뿜기.
4문단	진득진득한 ③ ☐ ☐ ☐ .

어휘 넓히기

뜻

낱말의 뜻풀이로 알맞은 것을 보기 에서 골라 괄호 안에 기호를 쓰세요.

(1) 독특하다 (　　　)

(2) 치우치다 (　　　)

(3) 말갛다 　(　　　)

> **보기**
> ㉠ 견줄 만한 것이 없을 만큼 특별하게 다르다.
> ㉡ 산뜻하게 맑고 깨끗하다.
> ㉢ 균형을 잃고 한쪽으로 쏠리다.

다지기

아래 문장의 빈칸에 알맞은 낱말을 보기 에서 찾아 쓰세요.

> **보기**
>
> 치우친　　　독특한　　　말간

(1) 처음 맡아 보는 [　][　][　] 냄새였다.

(2) 나는 뽀얗고 [　][　] 국물을 좋아한다.

(3) 무엇이든 한쪽으로 [　][　][　] 습관은 좋지 않다.

넓히기

밑줄 친 낱말을 맞춤법에 맞게 고쳐 보세요.

(1) 정말 고래는 종류에 따라 <u>트기하게</u> 물을 뿜지?

→ [　][　][　][　]

(2) 고래의 숨구멍은 머리 <u>꼭데기</u>에 있어.

→ [　][　][　]

(3) 털옷이 목에 <u>다아</u>, 근질거린다.

→ [　][　]

5주 23회 해설편 12쪽

시간　공부 날짜 [　] 월 [　] 일
푸는데 걸린 시간 [　] 분

확인　맞은 개수 써보기

| 독해 | [　] 개 / 7개 | 어휘 | [　] 개 / 9개 |

24

 햇볕이 쨍쨍한 날이었는데 갑자기 소나기가 내려요. 그러다 비가 그치고 무지개가 떠요. 이런 날씨처럼 우리 마음도 하루에 몇 번이나 바뀌어요. 기쁘고 즐겁다가도 속상하고 슬픈 마음이 느껴질 때가 있지요. 우리 안에 그만큼 많은 마음이 있는 거예요.

 1. 15점   2. 15점   3. 10점   4. 15점   5. 15점   6. 15점   7. 15점

따뜻한 할머니의 품, 보송보송한 털을 가진 새끼 양, 나를 위해 준비된 푹신한 이불……. 포근함은 보드랍고 따뜻해서 편안한 기분이야. 우리는 동물이나 사람, 물건, 때로는 따뜻한 겨울바람에서도 포근함을 느낄 수 있어. 포근함은 정이나 가깝다는 느낌, 그리고 안아주고 싶은 느낌과 비슷해. 포근함은 어디에 있을까? 포근함은 너의 마음 안에 있단다. 떨고 있는 작은 토끼나 울먹이는 친구를 보면 포근하게 안아주고 싶어지지.

어떤 사람이 마음에 들지 않고 거슬릴❶ 때가 있지. 그런 마음을 미움이라고 한단다. 놀이터에서 함께 놀던 친구가 내 장난감을 망가뜨렸다면? 아껴 뒀다 먹으려던 간식을 동생이 먹어버렸다면? 친구도 밉고, 동생도 밉다는 생각이 들 거야. 미움은 얼마나 오래갈까? 어떤 땐 미움이 오랫동안 계속되기도 해. 그렇지만 잠깐 머물다 가는 경우도 있어. 간식을 빼앗겨 속상한 마음에 동생이 밉기도 하지만 곧 용서하고 (㉠) 안아 줄 수도 있지.

기쁨은 신나는 일들 때문에 생겨. 정말 좋은 기분이지. 아빠에게 칭찬을 받았을 때, 맛있는 간식을 먹었을 때, 네가 꼭 가지고 싶던 장난감을 갖게 되었을 때……. 우리는 하루에도 셀 수 없을 만큼 기쁨을 만날 수 있어. 기쁜 순간에는 어떤 일들이 일어날까? 힘이 샘솟고, 뭐든지 할 수 있다는 생각이 들 거야. 허공❷을 향해 뛰어오르고 싶어지고, 손뼉을 치고 싶어지기도 할 거야.

이 세상은 색깔, 냄새, 소리 같은 것들로 가득 차 있어. 어떤 것은 우리에게 포근함을 느끼게 하고, 어떤 것은 사랑스러움을 느끼게 하지. 반대로 좋은 감정을 빼앗아 가는 것도 있단다. 우리를 짜증이 나게 하는 것들이 있어. 괴롭히기도 하고,

마음속 깊이 들어와 나쁜 생각에서 벗어나지 못하게 만들지. 고양이의 울음소리가 너를 미소 짓게 할 수도 있지만, 하루 종일 계속해서 울고 있다면 어떨까? 짜증이 나면 어떤 일들이 생길까? 기분 ㉡조케 웃을 수 없을 거야. 하기 싫은 것을 계속해야 하거나, 더 듣고 싶지 않은 소리를 계속 들어야 할 때 너는 짜증이 날 거야. 네가 더는 참을 수 없다고 느끼기 시작할 때부터 말이야.

 낱말 풀이 ❶ 거슬리다 순순히 받아들여지지 않고 언짢은 느낌이 들며 기분이 상하다. ❷ 허공 텅 빈 공중.

1
주제찾기

중심 내용을 정리하여 빈칸을 채우세요.

☐☐을 나타내는 여러 가지 말

2
제목찾기

마음의 여러 가지 특징을 빗대어 표현한 이 글의 제목을 고르세요. ·········· (   )

① 마음의 색깔
② 편안한 기분
③ 안아 주고 싶은 느낌
④ 용서하고 안아 주는 마음
⑤ 긍정적인 생각과 넘치는 힘

3
사실이해

글에서 다루어지지 않은 마음은 어느 것입니까? ·········· (   )

① 미움   ② 기쁨
③ 짜증   ④ 뉘우침
⑤ 포근함

4 미루어알기

㉠에 들어갈 알맞은 낱말은 무엇입니까? ────────────────── (   )

① 속상하게   ② 칭찬하며

③ 포근하게   ④ 신나서

⑤ 기뻐서

5 세부내용

㉡을 바르게 고쳐 쓰세요.

		☐	☐	

6 적용하기

선생님의 칭찬을 받았을 때의 마음 두 가지를 모아 놓은 것을 고르세요. (   )

① 사랑, 미움   ② 기쁨, 신남

③ 미움, 신남   ④ 사랑, 뉘우침

⑤ 뉘우침, 포근함

7 요약하기

각 문단의 주요 물음을 간추렸습니다. 빈칸을 채우세요.

1문단	① ☐ ☐ ☐ 은 어디에 있을까?
2문단	② ☐ ☐ 은 얼마나 오래갈까?
3문단	기쁜 순간에는 어떤 일들이 일어날까?
4문단	③ ☐ ☐ 이 나면 어떤 일들이 생길까?

어휘 넓히기

뜻 낱말의 뜻풀이로 알맞은 것을 보기 에서 골라 괄호 안에 기호를 쓰세요.

(1) 울먹이다 (　　)

(2) 포근하다 (　　)

(3) 허공 (　　)

> **보기**
> ㉠ 보드랍고 아늑하다. 푹신하고 따스하다. 덥거나 춥지 않을 정도로 따스하다.
> ㉡ 울상이 되어 자꾸 울음이 터져 나오려고 하다.
> ㉢ 텅 빈 공중.

다지기 아래 문장의 빈칸에 알맞은 낱말을 보기 에서 찾아 쓰세요.

> **보기**
> 포근하다　　허공　　울먹이는

(1) 길을 잃고 ☐☐☐☐ 아이를 경찰서에 데려다줬다.

(2) 요 며칠, 날씨가 봄 날씨처럼 ☐☐☐☐.

(3) '후'하고 내뱉은 입김이 ☐☐으로 사라졌다.

넓히기 밑줄 친 낱말을 맞춤법에 맞게 고쳐 보세요.

(1) 포근함은 <u>너에</u> 마음 안에 있단다.

→ ☐☐

(2) 기분 좋게 웃을 수 <u>업슬</u> 거야.

→ ☐☐

(3) 갑자기 말할 용기가 <u>셈솟는다</u>.

→ ☐☐☐☐

시간 공부 날짜 ☐ 월 ☐ 일　　푸는데 걸린 시간 ☐ 분

확인 맞은 개수 써보기

| 독해 | ☐개/7개 | 어휘 | ☐개/9개 |

25

 여러분의 가족을 식물에 빗댄다면 무엇으로 표현하고 싶은가요? 평소에 가족에게 갖고 있던 마음을 잘 생각해 보세요. 아래 시에서는 가족은 어떻게 표현했는지 살펴보며 시를 감상해 봅시다.

 1. 15점 2. 15점 3. 10점 4. 15점 5. 15점 6. 15점 7. 15점

아빠는 / 날 보고
강아지풀❶이래요.
아빠 뒤만
졸래졸래
따라다닌다고
– 아이고,
요 귀연 강아지풀아!
그래요.

엄마는 / 날 보고
도깨비바늘이래요.
엄마에게 꼬옥 붙어
안 떨어진다고
– 아유,
요 예쁜 도깨비바늘❷아!
그래요.

내가 / 풀이면
㉠엄마 아빤 들판이지 뭐.
날 안아 주시는…….

 ❶ 강아지풀 볏과의 한해살이풀. 줄기는 높이가 20~70cm이며, 대침 모양이고 여름에 강아지 꼬리 모양의 연한 녹색 또는 자주색 꽃이 줄기 끝에 핀다. ❷ 도깨비바늘 국화과의 한해살이풀. 높이는 50~100cm이며 줄기는 네모지다. 열매 끝에 가시처럼 생긴 돌기가 있어서 사람이나 동물의 몸에 잘 붙기 때문에 열매가 멀리 퍼진다.

1

주제찾기

시에서 어떤 마음을 떠올리게 됩니까? ────────── (　　)

① 아빠를 향한 그리움

② 엄마가 곁에 없는 외로움

③ 아이를 향한 아빠 엄마의 사랑

④ 강아지풀을 보는 즐거움

⑤ 들판을 바라보는 허전함

2

글감찾기

'아빠 엄마'가 '나'를 무엇이라 불렀는지 한 글자로 된 낱말을 시에서 찾아 쓰세요.

3

사실이해

시에서 말하는 사람의 움직임을 잘 보여 주는 말은 어느 것입니까? ───── (　　)

① 날 보고

② 졸래졸래

③ 강아지풀

④ 도깨비바늘

⑤ 내가 풀이면

4

미루어알기

㉠과 같이 말한 까닭은 무엇입니까? ──────────── (　　)

① 내가 강아지풀을 닮았기 때문이다.

② 내가 도깨비바늘을 닮았기 때문이다.

③ 나는 강아지풀이나 도깨비바늘과 다르기 때문이다.

④ 들판에 강아지풀과 도깨비바늘이 자라기 때문이다.

⑤ 들판이 풀을 안아 주듯이 엄마 아빠가 나를 안아 주시기 때문이다.

5

세부내용

시에서 맞춤법을 벗어나서 쓴 말만 모아 놓은 것을 고르세요. ─────── (   )

① 귀연, 꼬옥

② 아빠, 엄마

③ 졸래졸래, 안 떨어진다.

④ 강아지풀, 도깨비바늘

⑤ 들판이지, 뭐

6

적용하기

'귀연 강아지풀'과 같은 느낌을 주기 <u>어려운</u> 말은 어느 것일까요? ─────── (   )

① 노랑 병아리

② 살금살금 야옹이

③ 힘센 누렁소

④ 새끼 강아지

⑤ 아기 코끼리

7

요약하기

시의 내용을 아래와 같이 간추렸습니다. 빈칸을 채우세요.

아빠는 내가 아빠 뒤만 졸래졸래 따라다닌다고

① ☐ ☐ ☐ ☐ 이래요.

엄마는 내가 엄마에게 꼬옥 붙어 안 떨어진다고

② ☐ ☐ ☐ ☐ ☐ 이래요.

내가 풀이면 엄마아빠는 나를 안아주시는 ③ ☐ ☐ 이에요.

어휘 넓히기

뜻 낱말의 뜻풀이로 알맞은 것을 보기 에서 골라 괄호 안에 기호를 쓰세요.

(1) 졸래졸래 ( )
(2) 따라다니다 ( )
(3) 들판 ( )

보기
㉠ 무질서하게 졸졸 뒤따르는 모양.
㉡ 풀이나 곡식들이 자라는 평평하고 넓게 확 트인 벌판.
㉢ 좇아 같이 다니다.

다지기 아래 문장의 빈칸에 알맞은 낱말을 보기 에서 찾아 쓰세요.

보기
졸래졸래   따라다니고   들판

(1) ☐☐ 에 곡식이 누렇게 익었다.

(2) 아이는 장난감을 사 달라고 부모를 ☐☐☐☐ 쫓아다니며 졸랐다.

(3) 강아지가 내 뒤를 졸졸 ☐☐☐☐ 있다.

넓히기 밑줄 친 낱말을 맞춤법에 맞게 고쳐 보세요.

(1) 엄마에게 꼬옥 <u>부터</u> 안 떨어집니다.

→ ☐☐

(2) 왜 참견하고 <u>그레요</u>?

→ ☐☐☐

(3) 할머니가 날 <u>않고</u> 있는 사진을 찾았다.

→ ☐☐

시간 공부 날짜 ☐ 월 ☐ 일
푸는데 걸린 시간 ☐ 분

확인 맞은 개수 써보기

독해	☐ 개 / 7개	어휘	☐ 개 / 9개

어휘·어법 총정리  5주차

어휘 보기의 낱말을 보고, 뜻과 어울리는 것을 골라 아래의 빈칸에 써보세요.

> **보기** 볼록하다 평평하다 살펴보다 치우치다 겨루다 곁들이다

1. 관심을 가지고 자세히 보다.

2. 고르고 판판하다.

3. 물체의 겉 부분이 둥글고 작게 튀어나와 있다.

4. 서로 버티어 승부를 다투다.

5. 균형을 잃고 한쪽으로 쏠리다.

6. 덧붙이거나 함께하다.

어법 다음 중 맞춤법에 맞는 것을 골라 동그라미 하세요.

1. 생김새가 많이 [다릅니다 / 다름니다]
2. 정말 [트기하게 / 특이하게] 생겼구나!
3. 나무 [꼭대기 / 꼭데기]에 연이 걸렸다.
4. [너에 / 너의] 생각만 옳아?
5. [샐 수 없이 / 셀 수 없이] 많은 토끼풀.
6. 동생이 [괘롭혀서 / 괴롭혀서] 힘들어.
7. [장남감 / 장난감]을 망가뜨리다니!
8. [포근한 / 포군한] 이불 속에 더 있고 싶었다.

확인 나의 점수 확인하기

어휘	개 / 6개	어법	개 / 8개

6주차

회차 / 영역	제목	계획 및 점검
26 인문|논설문	집안의 물 도둑을 잡아라. • 나는 ☐ 월 ☐ 일 ☐ 시에 공부할 것입니다.	• 독해력에서 나의 점수는 ☐ 점입니다. • 어휘력에서 맞은 문제수는 ☐ 개 / 9개 입니다. • 어려웠던 문제는 _____ 번입니다.
27 사회|논설문	전자 기기 게임을 삼가요. • 나는 ☐ 월 ☐ 일 ☐ 시에 공부할 것입니다.	• 독해력에서 나의 점수는 ☐ 점입니다. • 어휘력에서 맞은 문제수는 ☐ 개 / 9개 입니다. • 어려웠던 문제는 _____ 번입니다.
28 과학|논설문	양치질의 중요성 • 나는 ☐ 월 ☐ 일 ☐ 시에 공부할 것입니다.	• 독해력에서 나의 점수는 ☐ 점입니다. • 어휘력에서 맞은 문제수는 ☐ 개 / 9개 입니다. • 어려웠던 문제는 _____ 번입니다.
29 산문문학|이야기	박박 바가지 • 나는 ☐ 월 ☐ 일 ☐ 시에 공부할 것입니다.	• 독해력에서 나의 점수는 ☐ 점입니다. • 어휘력에서 맞은 문제수는 ☐ 개 / 9개 입니다. • 어려웠던 문제는 _____ 번입니다.
30 운문문학|시	묻고 답하는 노래 • 나는 ☐ 월 ☐ 일 ☐ 시에 공부할 것입니다.	• 독해력에서 나의 점수는 ☐ 점입니다. • 어휘력에서 맞은 문제수는 ☐ 개 / 9개 입니다. • 어려웠던 문제는 _____ 번입니다.

• 이번 주 독해력 문제에서 나의 점수는 평균 ☐ 점입니다.

• 이번 주 어휘력에서 맞은 문제수는 모두 ☐ 개입니다.

지구와 달이 가장 크게 다른 점이 있다면 무엇일까요? 바로 지구엔 물이 있고, 달엔 물이 없다는 것이에요. 지구를 생명이 넘치는 땅으로 만들어준 것이 바로 물이지요. 물이 없다면 어떻게 될까요?

점수
계산   1. 15점   2. 10점   3. 15점   4. 15점   5. 15점   6. 15점   7. 15점

똑. 똑. 귀 기울여 들어 보세요. 물방울 떨어지는 소리가 들리지 않나요? 하루 동안 수도꼭지에서 떨어지는 물방울을 모으면 큰 생수병 15개를 채울 수 있대요. 쓰지도 않고 그냥 흘려보내기 아깝지 않나요? 이제부터 내가 우리 집 물 도둑을 잡는 ㉠지킴이가 될 거예요.

'이를 닦을 때나 세수할 때 물 받아쓰기'는 물을 절약하기 위해 꼭 지키기로 한 약속이에요. 양치질하는 동안에 물을 계속 틀어 놓으면 큰 생수병 7개에 들어갈 물이 흘러가는 거래요. 세수할 때 물을 받아 쓰지 않고 그냥 흘려보낸다면 더 많은 물이 낭비되겠지요.

욕조에서 물놀이하지 않기로 약속했어요. 나는 월요일마다 목욕하는데, 물을 받아 놓고 목욕을 하며 물놀이했어요. 그런데 내가 잠깐 놀다 버린 물이 생수병 200개가 넘는대요. 그래서 씻을 때는 간단히 샤워만 하고, 비누칠할 때는 샤워기를 꼭 잠그기로 했어요. 물놀이가 너무 하고 싶으면 욕조❶ 밖에서 몸을 깨끗이 씻은 다음에 할 거예요. 그럼 그 물로 걸레를 빨거나 식물에 물을 줄 수 있어요. 물을 재활용하는 거예요.

지구에는 물이 많지만, 그중에서 사람이 사용할 수 있는 깨끗한 물은 매우 적어요. 우리가 살아가는 데 꼭 필요한 물을 소중히 아껴 쓰는 어린이가 되어야겠어요.

낱말
풀이   ❶ 욕조 들어가서 목욕을 할 수 있도록 물을 담는 큰 그릇.

1
주제찾기

왜 이 글을 썼을까요? ──────────────────────── (   )

① 물 도둑을 잡기 위해   ② 물을 적게 마시기 위해

③ 물을 아껴 쓰게 하려고   ④ 물을 많이 마셔 건강해지려고

⑤ 물이 지구에 얼마나 있는지 알아보려고

2
글감찾기

글쓴이가 자기 생각을 전하기 위해 선택한 재료를 글에서 찾아 쓰세요.

```
                        ┌──────┐
                        │      │
                        └──────┘
```

3
사실이해

글에서 떠올릴 수 <u>없는</u> 장면은 어느 것입니까? ──────────── (   )

① 물방울이 떨어지는 수도꼭지   ② 쓰지도 않고 그냥 흘러가는 물

③ 물을 받아 놓고 세수를 함   ④ 샤워기를 잠그고 비누칠을 함

⑤ 경찰이 물 도둑을 잡아냄

4
미루어알기

글을 읽고 떠올린 가장 바람직한 생각은 어느 것입니까?   (   )

> 물은 지구 표면의 반 이상을 차지할 만큼 아주 많아요. 하지만 대부분을 차지하는 바닷물은 짜서 사람들이 이용할 수가 없어요. 사람이 생활하는 데 필요한, 짜지 않은 민물은 아주 조금밖에 되지 않아요.

① 정말 물을 아껴 써야겠어.

② 흥, 우리나라에는 물이 많잖아.

③ 물기가 많은 과일을 먹으면 되겠지.

④ 다른 나라에서 물을 사 오자.

⑤ 바닷물을 걸러서 사용할 수 있어.

5 ㉠과 가장 비슷한 방법으로 만들어진 낱말을 고르세요. ────────── (   )

세부내용

① 기울기   ② 다리미

③ 아롱이   ④ 사랑니

⑤ 기중기

6 글을 읽고 지은 짧은 글 중에서 가장 잘 된 것을 고르세요. ────────── (   )

적용하기

① 없어져야 뉘우치지

    우리의 소중한 공기

② 있을 때는 몰라요

    숲과 나무

③ 사람과 강아지는

    영원한 친구

④ 우리의 생명, 물

    있을 때 아껴 쓰자

⑤ 바다 동물의 쉼터

    우리가 지키자

7 물을 절약하기 위해 꼭 지키기로 한 약속을 아래와 같이 정리했습니다. 빈칸을 채

요약하기 우세요.

약속 하나, ① □ 를 닦을 때나 ② □ □ 할 때 물 받아 쓰기
약속 둘, ③ □ □ 에서 물놀이하지 않기

어휘 넓히기

뜻 낱말의 뜻풀이로 알맞은 것을 보기 에서 골라 괄호 안에 기호를 쓰세요.

(1) 재활용 (　　)

(2) 절약하다 (　　)

(3) 간단히 (　　)

> **보기**
> ㉠ 함부로 쓰지 아니하고 꼭 필요한 데에만 써서 아끼다.
> ㉡ 간편하고 단순하게.
> ㉢ 낡거나 못 쓰게 된 것을 용도를 바꾸거나 손질하여 다시 씀.

다지기 아래 문장의 빈칸에 알맞은 낱말을 보기 에서 찾아 쓰세요.

> **보기**
> 절약한　　　　재활용　　　　간단히

(1) 각자 물을 ☐☐☐ 방법에 대해 발표했습니다.

(2) 페트병에 든 음료수를 마신 후 ☐☐☐ 통에 넣었다.

(3) 우리 가족은 아침 식사를 ☐☐☐ 하는 편이다.

넓히기 밑줄 친 낱말을 맞춤법에 맞게 고쳐 보세요.

(1) 귀 <u>귀울여</u> 들어 보세요.

→ ☐☐☐

(2) 지구에는 물이 <u>만치만</u>, 깨끗한 물은 적어요.

→ ☐☐☐

(3) <u>걸래</u> 빨레를 했습니다.

→ ☐☐

시간 공부 날짜 ☐ 월 ☐ 일

푸는데 걸린 시간 ☐ 분

확인 맞은 개수 써보기

독해	☐ 개 / 7개	어휘	☐ 개 / 9개

점수 계산   1. 10점   2. 15점   3. 15점   4. 15점   5. 15점   6. 15점   7. 15점

컴퓨터나 스마트폰 오락을 지나치게 오랫동안 하면 해롭고 위험하다는데, 왜 그런가요?

첫째 전자파 때문입니다. 전자파는 전기가 흐르는 곳이면 어디에서나 발생합니다. 눈에 보이지는 않지만, 우리는 많은 전자파에 둘러싸여 있죠. 햇빛이 품고 있는 적외선이나 자외선도 일종의 전자파라고 할 수 있답니다. 우리가 쓰는 여러 가지 전자 제품에서도 당연히 전자파가 나오지요. 전자파가 무서운 것은 무엇보다도 우리 눈에 보이지 않기 때문입니다. 해롭고 위험하더라도 눈에 보이기만 하면 미리 손을 써서 막을 수라도 있을 텐데, 그렇지 않으니까요.

컴퓨터와 스마트폰도 마찬가지예요. 여러분은 컴퓨터나 스마트폰을 얼마나 오래 사용하나요? 오랫동안 강한 전자파에 닿으면 정상적인 몸의 움직임을 깨뜨려서 건강에 해롭다고 해요. 전자파가 뇌에 나쁜 영향을 미쳐서 기억력을 떨어뜨린다는 연구 결과도 발표되었답니다. 심지어는 암을 일으킬 위험도 있다고 해요. 이런 해로움과 위험함이 우리에게 가장 무서운 점입니다.

둘째, 컴퓨터나 스마트폰 오락을 너무 오래 하면 눈도 아프고, 어깨나 허리에도 무리가 간답니다. 눈이 갑자기 나빠져서 안경을 써야 할 수도 있고, 허리가 비틀어져서 아플 수도 있어요. 그리고 공부에 정신 집중도 안 되고, 자꾸 오락하는 생각만 나지요. 짜증이 나고 어쩐지 허둥지둥하면서 불안해지기도 하고요. 이런 증세가 심해지면, '어쩌면 내가 오락 중독에 걸렸을 수도 있어'라고 생각해 봐야 해요.

이처럼 하루에 몇 시간씩 전자기기를 손에 놓지 못하고 오락을 하는 건 아주 해롭고 위험하답니다. 가족과 단단히 약속하고, 정해진 시간에만 게임을 하도록 하

는 습관을 키워야 할 거예요. 이미 중독이 생겼다고 생각이 들면, 컴퓨터나 스마트폰으로부터 멀어지기 위해 크게 용기를 내어야 해요. 기지개를 켜고 컴퓨터나 스마트폰을 용기 있게 떨치고 일어나세요! 한 번만 이런 마음을 먹고 실천해 보면, 다음 날부터는 그다지 어렵지 않게 할 수 있답니다. 이런 식으로 일주일만 지나면 오락을 하지 않는 것이 또 하나 좋은 버릇이 될 거예요.

1 주제찾기

글을 쓴 까닭은 무엇인가요? ──────────────── ( )

① 착한 마음을 키우기 위해
② 생각하는 마음을 기르기 위해
③ 열심히 일하는 버릇을 들이기 위해
④ 전자 기기 게임에 빠지지 않게 하려고
⑤ 좋은 친구가 되는 방법을 알려 주려고

2 글감찾기

생각을 드러내기 위해 선택한 전자 기기 두 가지의 이름을 쓰세요.

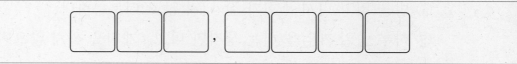

3 사실이해

글에 나온 내용은 어느 것입니까? ──────────────── ( )

① 컴퓨터는 위험하다.
② 전자파는 전기를 대신한다.
③ 우리 주변에는 전자파가 많다.
④ 스마트폰은 몸을 튼튼하게 한다.
⑤ 게임을 한 뒤에는 마음이 편해진다.

해설편 14쪽

4 **미루어알기**　글을 읽고 깨달은 점으로 알맞은 것을 고르세요. ━━━━━━━━━ (　　)

① 눈이 아프면 안과에 가야 한다.

② 매일 조금씩 운동하는 습관은 건강에 좋아.

③ 컴퓨터가 있으면 편리하게 정보를 얻을 수 있어.

④ 내 꿈을 이루기 위해 처음부터 다시 시작해야겠어.

⑤ 게임에 빠진 버릇을 고치기 위해서는 큰 용기를 가져야 하겠어.

5 **세부내용**　같은 뜻이면서 한자말과 순우리말의 짝으로 맺어진 것을 찾으세요. ┄┄┄ (　　)

① 습관－버릇　　　　　　　　② 불안－슬픔

③ 게임－집중　　　　　　　　④ 약속－마음

⑤ 해로움－위험함

6 **적용하기**　게임 중독에 빠졌다고 할 수 있는 경우는 어느 것입니까? ┄┄┄┄┄ (　　)

① 늘 기분이 좋고 자주 웃게 된다.

② 매 수업 시간에 집중이 잘 된다.

③ 좋은 친구가 되기 위해 노력한다.

④ 밥을 먹고 나서 소화가 잘 되지 않고 더부룩하다.

⑤ 하루 종일 게임을 하는 생각만 나고, 게임을 하지 않으면 불안해진다.

7 **요약하기**　전자 기기 게임을 지나치게 오래 했을 때 해로운 점을 간추렸습니다. 빈칸을 채우세요.

> 첫째, ① □□□가 해롭고 위험합니다.
>
> 둘째, 눈이나 어깨, 허리에 ② □□가 가고 자꾸 게임 하는 생각
>
> 이 나서 ③ □□에 집중하기 어렵습니다.

어휘 넓히기

뜻 낱말의 뜻풀이로 알맞은 것을 보기 에서 골라 괄호 안에 기호를 쓰세요.

(1) 발생하다 (　　　)

(2) 해롭다 　 (　　　)

(3) 허둥지둥 (　　　)

> 보기
> ㉠ 해가 되는 점이 있다.
> ㉡ 새로 생겨나거나 일어나다.
> ㉢ 정신을 차릴 수 없을 만큼 갈팡질팡하며 매우 급하게 서두르는 모양.

다지기 아래 문장의 빈칸에 알맞은 낱말을 보기 에서 찾아 쓰세요.

> 보기
> 해로운　　　발생한　　　허둥지둥

(1) 담배는 건강에 [　][　][　] 것이다.

(2) 아침에 [　][　][　][　] 나오느라 준비물을 깜빡 잊었다.

(3) 사건이 [　][　][　] 시각은 오후 2시였다.

넓히기 밑줄 친 낱말을 맞춤법에 맞게 고쳐 보세요.

(1) 어렵지 <u>안치만</u> 가르쳐줄게.

→ [　][　][　]

(2) 습관을 <u>키어야</u> 할 거예요.

→ [　][　][　]

(3) 너도 틀렸긴 <u>마찮가지야</u>.

→ [　][　][　][　]

시간 공부 날짜 [　] 월 [　] 일　　푸는데 걸린 시간 [　] 분

확인 맞은 개수 써보기

| 독해 | [　] 개 / 7개 | 어휘 | [　] 개 / 9개 |

6주 | 27회 **127**

28

충치는 벌레 먹은 치아라는 뜻이에요. 충치를 만드는 뮤탄스균은 초콜릿, 사탕, 콜라 같은 단 음식을 좋아해요. 그래도 칫솔질만 잘하면 충치가 생기는 걸 거의 막을 수 있다고 해요.

점수 계산   1. 15점   2. 15점   3. 10점   4. 15점   5. 15점   6. 15점   7. 15점

이가 튼튼하지 못해서 음식을 꼭꼭 씹지 않고 꿀꺽 삼키면 어떻게 될까요? 음식물이 통째로 위로 들어가면 소화도 안 되고 위가 무척 힘들 거예요. 이가 음식을 잘게 부수는 것은 음식을 소화하는 데 아주 중요하답니다. 그래서 이를 건강하게 하는 것이 아주 중요하지요.

우리가 단것을 먹고 이를 닦지 않으면, 입 안에 사는 미생물❶이 당분을 먹고 산성 물질을 내놓아요. 이 산성 물질은 이의 가장 바깥 부분에 있는 에나멜질을 녹이기 시작해요. 특히 이의 표면에 파인 홈 부분이 공격을 받기 쉽지요. 이는 단단한 뼈처럼 보이지요? 이의 속을 들여다볼까요?

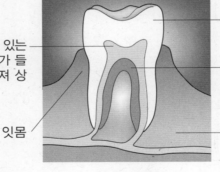

상아질: 에나멜질 아래에 있는 일종의 뼈를 말해요. 나이가 들면 에나멜질이 닳아 없어져 상아질이 드러나지요.

잇몸

에나멜질 : 우리 몸에서 가장 단단한 부분이에요.

치아 속질 : 이의 안쪽을 메우고 있는 부드러운 조직으로, 신경과 혈관이 지나가지요.

치조골

〈이의 단면〉

처음에는 에나멜질을 조금씩 녹여가던 미생물들은 상아질까지 야금야금 차지합니다. 신경이 지나는 치아 속질까지 파 내려가면 무척 아플 거예요. 더 심해지면 너무 아파서 이를 아예 뽑아 버려야 한답니다. 치과에서는 에나멜질의 구멍을 메우고 더는 녹아 들어가지 않게 해서 벌레 먹은 이를 치료하지요.

우리는 이를 소중히 여겨야 합니다. 열세 살쯤 되어서 이갈이가 끝난 뒤에 이가 빠지면 더는 새로 날 이가 없기 때문입니다. 그리고 이가 아무리 단단하여도 충치

가 생길 수 있다는 사실을 잊으면 안 됩니다. 소중한 이가 미생물 때문에 다 녹아

버리지 않도록 양치질을 열심히 해야 해요.

 낱말 풀이 ❶ 미생물 눈으로는 볼 수 없는 아주 작은 생물. 보통 세균, 효모, 원생동물 따위를 이르는데, 바이러스를 포함하는 경우도 있다.

1
주제찾기

이 글을 쓴 사람이 가장 하고 싶은 말은 무엇입니까? ──────── (   )

① 이가 몹시 아파요.

② 소화가 잘 안 되어요.

③ 단것을 먹으면 이가 썩어요.

④ 우리 입 안에는 미생물이 많이 살아요.

⑤ 이를 보호하기 위해 양치질을 열심히 해야 해요.

2
글감찾기

글감으로 선택한 우리의 습관을 글에서 찾아 쓰세요.

3
사실이해

이를 이루고 있는 부분이 <u>아닌</u> 것을 고르세요. ──────── (   )

① 근육

② 에나멜질

③ 치아 속질

④ 잇몸

⑤ 상아질

4 **미루어알기** 글을 읽고 나서 새로 알아낸 내용으로 알맞은 것을 고르세요. ────── (   )

① 혀가 음식을 잘게 부순다.

② 단것을 많이 먹으면 소화가 잘 안 된다.

③ 소화를 위해서 음식물을 오래 씹는 것이 좋다.

④ 나이가 들어서도 계속 새 이가 자란다.

⑤ 모든 미생물은 나쁘다.

5 **세부내용** '남모르게 조금씩 행동하는 모양'을 뜻하는 낱말은 무엇입니까? ────── (   )

① 꼭꼭   ② 야금야금

③ 꿀꺽   ④ 열심히

⑤ 단단한

6 **적용하기** 글을 읽고 가장 바람직한 버릇을 갖게 된 사람의 말을 고르세요. ────── (   )

① 그날 할 일을 미루지 않아요.

② 음식을 지나치게 많이 먹지 않아요.

③ 마음에 드는 음식만 골라 먹어요.

④ 음식을 먹고 나서는 꼭 양치질해요.

⑤ 먹고 싶을 때 먹고 졸릴 때 자요.

7 **요약하기** 충치가 생기는 과정을 다음과 같이 간추렸습니다. 빈칸을 채우세요.

> 단것을 먹고 양치를 하지 않음 → 입 안에 사는 ① ☐☐☐이
>
> 당분을 먹고 산성 물질을 내놓음 → 이 산성 물질이 이의 에나멜질을 녹임
>
> → 미생물이 상아질까지 야금야금 차지함 → ② ☐☐이 지나는 치
>
> 아 속질까지 파 내려감 → 더 심해지면 ③ ☐를 뽑아야 함

어휘 넓히기

뜻 낱말의 뜻풀이로 알맞은 것을 [보기]에서 골라 괄호 안에 기호를 쓰세요.

(1) 메우다 (　　)

(2) 홈　　 (　　)

(3) 잘다　 (　　)

[보기]
- ㉠ 크기가 아주 작다.
- ㉡ 물체에 오목하고 길게 팬 줄.
- ㉢ 뚫려 있거나 비어 있는 곳을 막거나 채우다.

다지기 아래 문장의 빈칸에 알맞은 낱말을 [보기]에서 찾아 쓰세요.

[보기]

홈　　　 잘게　　　 메워

(1) 큰 알약은 □□ 부숴 삼키면 된다.

(2) 도로에 난 구멍을 □□ 사고를 방지합시다.

(3) 바닥에 □을 파 그쪽으로 물이 흐르도록 했다.

넓히기 밑줄 친 낱말을 맞춤법에 맞게 고쳐 보세요.

(1) <u>꿀걱</u> 삼키면 어떻게 될까요?

→ □□

(2) 우리는 이를 <u>소중이</u> 여겨야 합니다.

→ □□□

(3) 이를 잘 안 <u>따까서</u> 충치가 생겼다.

→ □□□

6주 28회 해설편 14쪽

시간 공부 날짜 □ 월 □ 일

푸는데 걸린 시간 □ 분

확인 맞은 개수 써보기

독해	□ 개 / 7개	어휘	□ 개 / 9개

29

 여러분은 동물 흉내 내기를 잘하나요? 쥐, 고양이, 강아지, 소 흉내는 쉽게 낼 수 있지요? 그럼, 코끼리는 어때요? 다음 글에서는 무엇을 어떻게 흉내내면서 이야기가 이어지는지 살펴보도록 해요.

 점수 계산 1. [15점] 2. [15점] 3. [10점] 4. [15점] 5. [15점] 6. [15점] 7. [15점]

　옛날, 어느 곳에 할아버지, 할머니가 살았는데 하루는 밤중에 도둑이 들었어. 도둑이 살금살금 집 안에 들어와서 이리저리 살피다가 마루 위에 기어올라 왔어.

　그러니까 마룻장이 낡아서 삐거덕삐거덕 소리가 나거든. 방 안에서 잠을 자던 할머니가 그 소리를 듣고 잠을 깼어. 그러고는 옆에서 자고 있는 할아버지를 깨웠지.

　"여보, 영감. 밖에서 무슨 소리가 나는 걸 보니 도둑이 들었나 보우."

　마루를 기어가던 도둑이 이 소리를 들으니 그만 가슴이 철렁 내려앉지. 그래서 들키지 않으려고 그 자리에 납작 엎드려 숨을 죽이고 가만히 있었어. 그런데 방 안에서 할아버지가 잠을 깨서 하는 말이

　"도둑은 무슨 도둑, 마루 밑에서 쥐들이 설치는 모양이지."

　하거든. 그래도 할머니는 / "아무래도 쥐 소리는 아닌 것 같았는데……."

　하고 자꾸 미심쩍어한단 말이야.

　도둑은 할아버지, 할머니가 어서 마음을 놓으라고 "찍찍, 찍찍" / 하고 쥐 소리를 냈어.

　그러니까 할아버지는 / "그것 봐요. 저게 쥐 소리가 아니고 뭐야?"

　하는데, 할머니는 또 미심쩍어서

　"이상하다. 쥐 소리 치고는 너무 큰 걸." 하자 / "그러면 고양이 소리인 게지."

　그래도 할머니는 / "고양이 소리도 아닌데. 그러지 말고 어서 나가 보우."

　하고 자꾸 채근❶을 해.

　도둑이 들어 보니 이러다가는 꼼짝없이 들키겠거든. 그래서 얼른 "야옹, 야옹" 하고 고양이 소리를 냈어. / "그러면 그렇지. 틀림없는 고양이 소리 아니오?"

　할아버지는 잘도 속아 주는데 할머니는 이번에도 속지 않네.

　"고양이 소리 치고는 너무 굵어요."

　"고양이보다 소리가 굵으면 개 짖는 소리겠지."

　도둑은 어서 빨리 할아버지, 할머니가 마음 놓고 자라고 이번에는 "멍멍, 멍멍" 하고 개 짖는 소리를 냈어. / "그것 보라지. 개 짖는 소리가 틀림없구면."

　"아무려면 내가 개 짖는 소리를 못 알아들을까." / "그러면 송아지 소리인 게지."

　도둑은 얼른 "음매, 음매." 하고 송아지 소리를 냈어.

　"그것 보라니까. 송아지 소리 아니오?" / "아니에요, 송아지 소리하고도 달라요."

"그래요? 그러면 코끼리 소리인가?"

그러니까 도둑은 기겁을 하고 달아나는데 얼마나 놀랐는지 달아난다는 게 부엌으로 들어갔어. 부엌으로 들어가 보니 어디 숨을 데가 있나. 여기저기 헤매다 보니 커다란 물 항아리가 보이거든. 급한 김에 그 물 항아리 속에 들어갔어.

들어가긴 갔는데 얼굴은 숨길 수가 없거든. 물속에 얼굴까지 집어넣으면 숨이 막혀 죽을 테니 말이야. 그래서 얼굴만 물 위에 쏙 내놓고 앉아 있는데 마침 항아리 안에 바가지가 하나 둥둥 떠 있지 뭐야. /

'옳다구나!' 하고 그 바가지를 뒤집어썼어.

할아버지는 마루에 나와서 여기저기 둘러보아도 아무것도 없으니까 부엌으로 들어갔어. 부엌 구석에 있는 항아리를 들여다보니까 바가지가 달랑 물 위에 나와 있거든.

할아버지가 그걸 툭툭 두드려 보면서

"이건 무엇인고? 바가지 같기도 하고 아닌 것 같기도 하고."

하니까 도둑은 가슴이 섬뜩❷해서 얼른 주워섬긴다는 것이

"박박, 바각바각, 박박, 바각바각……." 하였겠다. 그러니까 할아버지가 하는 말이

"음, 틀림없는 바가지로군." 하면서 도로 들어가더란다.

 낱말 풀이 ❶ 채근하다 (어떤 일을) 서둘러서 하도록 재촉하다. ❷ 섬뜩하다 갑자기 소름이 끼치도록 무섭고 끔직하다.

1 주제찾기

이야기의 중심 내용을 가장 잘 정리한 것을 고르세요. ──────────── ( )

① 할아버지와 할머니의 다툼

② 냄새 때문에 잡힌 도둑 이야기

③ 도둑이 들었을 때 위험에 빠지지 않기

④ 도둑의 흉내 소리를 두고 펼쳐진 재미있는 모습

⑤ 힘든 일이 생겼을 때 서로 도우며 해결하는 모습

2 제목찾기

이야기의 마지막 장면을 읽고 '흉내 소리'와 '물건 이름'을 넣어 이 글의 제목을 붙여 보세요.

⇨ ☐☐☐☐☐

3

사실이해

도둑이 흉내 낸 소리를 잘못 옮긴 것을 고르세요. ─────────── ( )

① 쥐-찍찍, 찍찍   ② 고양이-야옹, 야옹

③ 개-컹컹, 컹컹   ④ 송아지-음매, 음매

⑤ 바가지-박박, 바각바각

4

미루어알기

할아버지의 성격으로 알맞은 것은 어느 것입니까? ─────────── ( )

① 의심이 많다.   ② 화를 잘 낸다.

③ 참을성이 많다.   ④ 동물을 사랑한다.

⑤ 깊게 생각하지 않는다.

5

세부내용

'삐거덕삐거덕'은 무엇을 흉내 낸 말입니까? ─────────── ( )

① 맛   ② 소리   ③ 색깔   ④ 냄새   ⑤ 모양

6

적용하기

이 이야기를 연극으로 꾸민다면 할머니의 목소리로 가장 알맞은 것을 고르세요.

─────────────────────────── ( )

① 의심하는 목소리   ② 씩씩한 목소리   ③ 귀찮은 목소리

④ 숨죽인 목소리   ⑤ 맑은 목소리

7

요약하기

이야기를 다음과 같이 간추렸습니다. 빈칸을 채우세요.

> 밤중에 할아버지, 할머니가 사는 집에 ① ☐☐ 이 들었다. 도둑은 할아버지, 할머니에게 들키지 않으려고 처음에 쥐 소리를 흉내 냈다. 그다음에도 들키지 않으려고 고양이, 개, 송아지 소리를 흉내 냈다. 마지막에는 항아리에서 ② ☐☐☐ 소리를 흉내 냈다. 그 소리를 듣고 할아버지는 바가지가 틀림없다고 말하면서 다시 방으로 들어갔다.

어휘 넓히기

뜻 낱말의 뜻풀이로 알맞은 것을 보기 에서 골라 괄호 안에 기호를 쓰세요.

(1) 기겁 ( )
(2) 미심쩍다 ( )
(3) 철렁 ( )

보기
㉠ 어떤 일에 놀라서 가슴이 설레는 모양.
㉡ 분명하지 못하여 마음이 놓이지 않는 데가 있다.
㉢ 숨이 막힐 듯이 갑작스럽게 겁을 내며 놀람.

다지기 아래 문장의 빈칸에 알맞은 낱말을 보기 에서 찾아 쓰세요.

보기
미심쩍어	철렁	기겁

(1) 집에 숙제를 두고 온 것이 생각나서 가슴이 [ ][ ] 내려앉았다.

(2) 누나는 막내가 하는 말이 [ ][ ][ ][ ] 여러 번 되물었다.

(3) 개 짖는 소리에 아이들은 [ ][ ]을 하며 도망갔다.

넓히기 밑줄 친 낱말을 맞춤법에 맞게 고쳐 보세요.

(1) <u>아니예요</u>, 그거랑 달라요.

→ [ ][ ][ ][ ]

(2) <u>틀림업는</u> 고양이 소리입니다.

→ [ ][ ][ ][ ]

(3) 어디 마땅히 숨을 <u>때가</u> 없었어요.

→ [ ][ ]

시간 공부 날짜 [ ]월 [ ]일
푸는데 걸린 시간 [ ]분

확인 맞은 개수 써보기
독해	[ ]개/7개	어휘	[ ]개/9개

30

'하나' 하면 뭐가 떠오르나요? '둘' 하면? 나라면 뭐라고 답할 것 같은지 생각해 보며 읽으면 더 재미있을 거예요.

 점수 계산   1. 15점   2. 15점   3. 10점   4. 15점   5. 15점   6. 15점   7. 15점

하나는 뭐니?

빗자루 하나

둘은 뭐니?

안경알 둘

셋은 뭐니?

토끼풀잎 셋

넷은 뭐니?

밥상 다리 넷

다섯은 뭐니?

손가락 다섯

여섯은 뭐니?

파리 다리 여섯

일곱은 뭐니?

북두칠성❶ 일곱

여덟은 뭐니?

문어 다리 여덟

아홉은 뭐니?

구만리장천❷ 아홉

열은 뭐니?

오징어 다리 열

 낱말 풀이   ❶ 북두칠성 큰곰자리에서 국자 모양을 이루며 가장 뚜렷하게 보이는 일곱 개의 별.
❷ 구만리장천 아득히 높고 먼 하늘.

1 노래에 나타난 말놀이의 종류는 무엇입니까? ────────────── (   )

주제찾기

① 끝말잇기 놀이

② 주고받는 말놀이

③ 꽁지 따기 말놀이

④ 말 덧붙이기 놀이

⑤ 첫 글자를 따라 잇기 놀이

2 빈칸을 채워 노래의 제목을 붙여 보세요.

제목찾기

□ 고 □ 하는 노래

3 노래에서 '일곱'은 무엇이라고 했습니까? ────────────── (   )

사실이해

① 무지개 색 일곱

② 북두칠성 일곱

③ 손가락 일곱

④ 인형 일곱

⑤ 책 일곱

4 말놀이를 하면 좋은 점은 무엇입니까? ────────────── (   )

미루어알기

① 또래와 친해질 수 있다.

② 자기 능력을 뽐낼 수 있다.

③ 새로운 생각을 떠올릴 수 있다.

④ 사물의 생김새를 관찰할 수 있다.

⑤ 자연스럽게 많은 낱말을 익힐 수 있다.

5

세부내용

두 줄로 된 위의 노래에서 한 묶음은 어떻게 시작하여 어떻게 끝납니까? (   )

① 같은 수로 시작하고 끝난다.

② 홀수로 시작하여 짝수로 끝난다.

③ 짝수로 시작하여 홀수로 끝난다.

④ 작은 수로 시작하여 큰 수로 끝난다.

⑤ 큰 수로 시작하여 작은 수로 끝난다.

6

적용하기

답하는 노래가 바르게 된 것은 어느 것입니까? ────────────── (   )

① 발가락 하나

② 곤충 다리 둘

③ 젓가락 셋

④ 소의 다리 넷

⑤ 손가락 여섯

7

요약하기

묻고 답하는 노래를 다음과 같이 간추렸습니다. 빈칸을 채우세요.

하나인 ①［□□□］, 둘인 안경알, 셋인 토끼풀잎, 넷인 밥상

다리, 다섯인 ②［□□□］, 여섯인 파리 다리, 일곱인 북두칠성,

여덟인 문어 다리, 아홉인 구만리장천, 열인 ③［□□□］ 다리

어휘 넓히기

뜻 낱말의 뜻풀이로 알맞은 것을 [보기]에서 골라 괄호 안에 기호를 쓰세요.

(1) 답하다 (   )

(2) 묻다 (   )

(3) 북두칠성 (   )

[보기]
㉠ 질문하여 대답이나 설명을 요구하다.
㉡ 응하여 자기 의견을 말하다.
㉢ 큰곰자리에서 국자 모양을 이루며 가장 뚜렷하게 보이는 일곱 개의 별.

다지기 아래 문장의 빈칸에 알맞은 낱말을 [보기]에서 찾아 쓰세요.

[보기]
답해   북두칠성   물어

(1) 처음 만난 친구에게 이름을 ☐☐ 보았다.

(2) 친구는 내 물음에 친절하게 ☐☐ 주었다.

(3) ☐☐☐☐ 은 국자 모양을 하고 있다.

넓히기 밑줄 친 낱말을 맞춤법에 맞게 고쳐 보세요.

(1) 풀립으로 풀피리를 만들어 불었다.

→ ☐☐

(2) 나는 사실 여덜살이다.

→ ☐☐☐

(3) 빈자루로 마당을 쓸었다.

→ ☐☐☐

시간 공부 날짜 ☐월 ☐일   푸는데 걸린 시간 ☐분

확인 맞은 개수 써보기

독해	☐개/7개	어휘	☐개/9개

해설편 15쪽

어휘 보기의 낱말을 보고, 뜻과 어울리는 것을 골라 아래의 빈칸에 써보세요.

보기	홈	철렁	절약하다	허둥지둥	재활용	섬뜩하다

1. 함부로 쓰지 아니하고 꼭 필요한 데에만 써서 아끼다.

2. 낡거나 못 쓰게 된 것을 용도를 바꾸거나 손질하여 다시 씀.

3. 갑자기 소름이 끼치도록 무섭고 끔찍하다.

4. 물체에 오목하고 길게 팬 줄.

5. 정신을 차릴 수 없을 만큼 갈팡질팡하며 매우 급하게 서두르는 모양.

6. 어떤 일에 놀라서 가슴이 설레는 모양.

어법 다음 중 맞춤법에 맞는 것을 골라 동그라미 하세요.

1. 전자파는 건강에 [해로워요 / 헤로워요].
2. 음식을 [통째로 / 통채로] 삼켰다.
3. 귀를 당기는 [버릇 / 버릇]이 있어요.
4. 친구 물건도 [소중히 / 소중이] 여겨요.
5. 수도꼭지를 꼭 [잠구기로 / 잠그기로] 했어요.
6. [틀림없는 / 틀림업는] 거짓말이에요.
7. 조금 [미심적지만 / 미심쩍지만] 믿기로 했다.
8. 여기저기 [헤맸어요 / 해맸어요].

나의 점수 확인하기

어휘	개 / 6개	어법	개 / 8개

7주차

회차 / 영역	제목	계획 및 점검
31 인문|논설문	**다른 사람을 생각해요** • 나는 ☐월 ☐일 ☐시에 공부할 것입니다.	• 독해력에서 나의 점수는 ☐ 점입니다. • 어휘력에서 맞은 문제수는 ☐개 / 9개 입니다. • 어려웠던 문제는 ＿＿＿ 번입니다.
32 사회|논설문	**실내에서 뛰지 마요!** • 나는 ☐월 ☐일 ☐시에 공부할 것입니다.	• 독해력에서 나의 점수는 ☐ 점입니다. • 어휘력에서 맞은 문제수는 ☐개 / 9개 입니다. • 어려웠던 문제는 ＿＿＿ 번입니다.
33 예술|설명문	**우리나라의 계절** • 나는 ☐월 ☐일 ☐시에 공부할 것입니다.	• 독해력에서 나의 점수는 ☐ 점입니다. • 어휘력에서 맞은 문제수는 ☐개 / 9개 입니다. • 어려웠던 문제는 ＿＿＿ 번입니다.
34 산문문학|이야기	**치과 의사 드소토 선생님** • 나는 ☐월 ☐일 ☐시에 공부할 것입니다.	• 독해력에서 나의 점수는 ☐ 점입니다. • 어휘력에서 맞은 문제수는 ☐개 / 9개 입니다. • 어려웠던 문제는 ＿＿＿ 번입니다.
35 운문문학|시	**가을 아침** • 나는 ☐월 ☐일 ☐시에 공부할 것입니다.	• 독해력에서 나의 점수는 ☐ 점입니다. • 어휘력에서 맞은 문제수는 ☐개 / 9개 입니다. • 어려웠던 문제는 ＿＿＿ 번입니다.

• 이번 주 독해력 문제에서 나의 점수는 평균 ☐ 점입니다.

• 이번 주 어휘력에서 맞은 문제수는 모두 ☐ 개입니다.

점수계산 1. 15점   2. 15점   3. 10점   4. 15점   5. 15점   6. 15점   7. 15점

(가) '넌 할 수 있어.'라고 말해 주세요.

그럼 우리는 무엇이든 할 수 있지요.

짜증나고 힘든 일도 신나게 할 수 있는

꿈이 크고 마음이 자라는

따뜻한 말, '넌 할 수 있어.'

㉠큰 꿈이 열리는 나무가 될래요.

더없이 소중한 꿈을 이룰 거예요.

'넌 할 수 있어.'

(나) ㉡'말 한마디에 천 냥 빚도 갚는다.'라는 속담도 있잖아. 말 중에는 다른 사람

의 기분을 좋게 해 주는 특별한 말이 있어. 어떤 말이냐고?

'부탁해요.', '고마워요.', '실례합니다.', '미안합니다.' 이런 말을 들으면 기분이

좋아져, 하지만 '꺼져!', '까불지 마!' 같은 말들은 다른 사람의 마음을 상하게 하니

까 쓰면 안 돼.

아마 너는 '안녕히 주무셨어요?', '안녕히 주무세요.'라는 인사를 가족 모두에게

하라고 배웠을 거야. 학교에서 돌아왔을 때나 친구네 집에 갔다 왔을 때 "다녀왔습

니다." 하고 인사하는 것도 멋져. 집에 와서 불쑥 "맛있는 것 줘."라는 말부터 하기

전에 "저 왔어요."라고 말해 보는 건 어때?

우리가 쓰는 말은 다른 사람의 마음을 기쁘게도 하고 아프게도 하는 힘이 있어.

다른 사람을 존중하는 마음을 가지고 나쁜 말 대신 고운 말만 쓰도록 노력해 봐.

1 주제찾기

글 (가)와 (나)가 한목소리로 강조한 내용을 아래의 문장으로 드러내었습니다. 빈칸에 알맞은 말을 보기 에서 찾아 쓰세요.

보기

다른   같은   사람   동물   행동   말

□□ □□ 의 마음을 생각해 주는 □ 을 하도록 노력하세요.

2 제목찾기

글의 내용과 잘 어울리는 제목은 무엇입니까? ────────── (   )

① 낱말 공부를 많이 해요.
② 생각대로 말이 잘 안 나와요.
③ 나는 다른 사람과 생각이 달라요.
④ 마음을 담은 이야기가 재미있어요.
⑤ 듣는 사람의 기분을 생각하며 말해요.

3 사실이해

남의 마음을 상하게 하는 말은 어느 것입니까? ────────── (   )

① 까불지 마!   ② 고마워요.
③ 부탁해요.   ④ 실례합니다.
⑤ 미안합니다.

4 미루어알기

㉠을 보고 떠올린 생각입니다. 공통으로 들어갈 말을 쓰세요.

이 노래는 □□ 가 크듯이 우리의 꿈이 크고, □□ 가 자라듯이 우리 마음도 자란다고 하여 우리를 □□ 에 빗대었어요.

5

세부내용

ⓒ과 가장 비슷한 뜻을 지닌 속담은 어느 것입니까? —————————— ( )

① 말 아닌 말이다.

② 말 속에 말 들었다.

③ 말로 온 동네 다 겪는다.

④ 말로 온갖 은혜 다 갚는다.

⑤ 같은 말이라도 '아' 다르고 '어' 다르다.

6

적용하기

집안에서 생활할 때, 피해야 할 말을 고르세요. —————————— ( )

① 형, 축하해!

② 누나, 정말 멋져.

③ 엄마, 아빠 사랑해요.

④ 할아버지, 세뱃돈 고맙습니다.

⑤ 엄마, 어서 밥 달라니까.

7

요약하기

글에서 강조하는 내용을 아래와 같이 간추렸습니다. 빈칸을 채우세요.

> 우리가 쓰는 말은 다른 사람의 마음을 기쁘게도 하고 아프게도 하는
>
> ① [ ] 이 있어요. '넌 할 수 있어.'라는 말처럼 다른 사람의
>
> ② [ ][ ] 을 좋게 해주는 말을 해요.

어휘 넓히기

뜻 낱말의 뜻풀이로 알맞은 것을 보기 에서 골라 괄호 안에 기호를 쓰세요.

(1) 빚   (   )
(2) 불쑥   (   )
(3) 더없이 (   )

보기	
	㉠ 더할 나위가 없이.
	㉡ 남에게 갚아야 할 돈.
	㉢ 갑자기 나서서 어떤 말을 함부로 하는 모양을 나타내는 말.

다지기 아래 문장의 빈칸에 알맞은 낱말을 보기 에서 찾아 쓰세요.

보기

불쑥	더없이	빚

(1) 이 집은 우리 가족이 살기에 ☐☐☐ 좋다.

(2) 차례를 지키지 않고 ☐☐ 말했다.

(3) 그는 ☐ 때문에 고생을 많이 했다.

넓히기 밑줄 친 낱말을 맞춤법에 맞게 고쳐 보세요.

(1) 우리 <u>무엇이던</u> 할 수 있어요.

→ ☐☐☐☐

(2) 욕은 하면 <u>안 되</u>.

→ ☐☐

(3) 밤 늦게 전화하는 것은 <u>실뢰</u>입니다.

→ ☐☐

시간

공부 날짜 ☐ 월 ☐ 일

푸는데 걸린 시간 ☐ 분

확인 맞은 개수 써보기

독해	☐ 개 /7개	어휘	☐ 개 /9개

32

여러분은 3월에 학급에서 어떤 약속을 하였나요? 아마 학급에서 모두가 꼭 지켜야 하는 다짐들을 했을 거예요. 여러분의 교실과 복도는 어떤 모습인지 생각해 보며 다음 글을 읽어 봅시다.

점수계산 1. 15점 2. 15점 3. 10점 4. 15점 5. 15점 6. 15점 7. 15점

"실내에서 뛰지 마요!"

요즘 선생님이 우리에게 자주 하시는 말씀입니다. 학기 초에 선생님과 우리 반 친구들은 '실내에서 뛰지 않기'라는 약속을 정하였습니다. 하지만, 우리 반 친구 대부분은 이러한 다짐을 잘 지키지 않습니다.

여전히 교실이나 복도에서 뛰어다니는 친구가 많습니다.

저도 최근에 수업을 마치고 집에 갈 때 복도에서 달려오는 친구와 부딪칠 뻔한 적이 있습니다. 다행히 피하였기 때문에 괜찮았지만 크게 다칠 뻔하였습니다.

이것 말고도 복도에서 뛰지 말아야 하는 까닭은 여러 가지가 있습니다. 복도에서 뛰게 되면 다른 반 교실에 피해를 주게 됩니다. 복도에서의 쿵쾅거리는 소리는 공부에 큰 방해가 됩니다.

그리고 복도에서 뛰는 습관을 고치지 못하면 계단에서도 뛰어다니게 됩니다. 이때 뛰어다니다가 잘못하여 미끄러지게 되면 크게 다칠 수 있습니다.

마지막으로, 복도에서 뛰는 행동은 다른 친구들이나 동생들에게 그릇된 습관을 지니게 할 수도 있습니다. 예를 들어, 우리가 복도에서 뛰어다니면 1학년 동생들이 ㉠잘못된 행동을 따라 할 수 있습니다.

그러므로 복도에서는 뛰지 말고 천천히 걸어 다니면 좋겠습니다. 이제부터 자신과 다른 친구들을 위하여 '실내에서 뛰지 않기'를 꼭 실천합시다.

1

주제찾기

우리 반 친구들이 한 다짐은 무엇입니까? ——————————————— (   )

① 지각하지 않기
② 실내에서 뛰지 않기
③ 친구를 놀리지 않기
④ 글씨를 바르게 쓰기
⑤ 준비물 잘 챙겨 오기

2

글감찾기

글쓴이는 실내 중 주로 어디에서 겪은 일을 중심으로 하여 글을 썼나요? 그 장소를 글에서 찾아 쓰세요.

3

사실이해

글을 어떤 내용으로 시작했나요? ——————————————— (   )

① 선생님의 말씀
② 친구들과의 약속
③ 다짐을 하게 된 까닭
④ 미끄러져서 다친 모습
⑤ 동생들의 그릇된 습관

4

미루어알기

글쓴이가 크게 다칠 뻔한 까닭은 무엇인가요? ——————————————— (   )

① 남보다 빨리 뛰어서
② 복도에 물이 흘러 있어서
③ 달려오는 친구와 부딪칠 뻔해서
④ 쿵쾅거리며 걷다가 발을 헛디뎌서
⑤ 쫓아오던 친구가 소리치는 바람에 놀라서

해설편 16쪽

5

세부내용

㉠과 바꿔 쓸 수 있는 낱말은 어느 것입니까? ─────────────── (　　　)

① 약속한

② 다짐한

③ 올바른

④ 그릇된

⑤ 한결같은

6

적용하기

글을 통해 부탁한 말에 힘을 실어주는 말은 어느 것입니까? ────── (　　　)

① 집에서도 뛰면 안 되어요!

② 나의 미래를 위해 꼭 다짐해요!

③ 선생님의 말씀이니 들어야지요!

④ 약속은 지키라고 하는 것이잖아요!

⑤ 실내에서 뛰면 남에게 피해를 줄 수 있다니까요!

7

요약하기

복도에서 뛰지 말아야 하는 까닭을 다음과 같이 간추렸습니다. 빈칸을 채우세요.

첫째, 다른 친구와 부딪치면 크게 다칠 수 있다.

둘째, 다른 반 교실에 ① [　][　]를 주게 된다.

셋째, 복도에서 뛰는 습관을 고치지 못하면 ② [　][　]에서도 뛰게 된다.

넷째, 다른 친구들이나 동생들에게 그릇된 ③ [　][　]을 지니게 할 수 있다.

어휘 넓히기

뜻 낱말의 뜻풀이로 알맞은 것을 보기 에서 골라 괄호 안에 기호를 쓰세요.

(1) 그릇되다 (　　　)

(2) 다행히　(　　　)

(3) 실천하다 (　　　)

보기
㉠ 뜻밖에 일이 잘되어 운이 좋게.
㉡ 올바르지 않거나 나쁘다.
㉢ 생각한 것을 진짜로 해 나가다.

다지기 아래 문장의 빈칸에 알맞은 낱말을 보기 에서 찾아 쓰세요.

보기
　　　　　　　그릇된　　　　실천할　　　다행히

(1)형의 [　][　][　] 행동을 동생이 그대로 따라 했다.

(2) 비가 왔지만 [　][　][　] 우산을 아침에 챙겨 왔다.

(3) 운동이 좋은 건 알겠는데 [　][　][　] 용기가 부족하다.

넓히기 밑줄 친 낱말을 맞춤법에 맞게 고쳐 보세요.

(1) 실내에서 뛰지 <u>안기</u>를 약속합시다.

→ [　][　]

(2) <u>천천이</u> 걸어 다니면 좋겠습니다.

→ [　][　][　]

(3) <u>여전희</u> 뛰는 친구가 많습니다.

→ [　][　][　]

7주
32회

해설편
16쪽

시간 공부 날짜 [　]월 [　]일
푸는데 걸린 시간 [　]분

확인 맞은 개수 써보기

독해	개/7개	어휘	개/9개

따뜻한 봄, 무더운 여름, 선선한 가을, 추운 겨울. 우리나라는 사계절이 뚜렷해요. 계절마다 특징이 달라 우리는 계절이 바뀔 때마다 시간이 그만큼 지났음을 느끼게 되어요.

접수계산 1. 15점 2. 15점 3. 10점 4. 15점 5. 15점 6. 15점 7. 15점

우리나라는 계절에 따라 기온과 강수량의 변화가 커요. 봄에는 따뜻하다가 여름에는 무척 더워져요. 가을이 되면 선선해지고 겨울에는 추워지지요. 그리고 여름에는 비가 많이 오고 겨울에는 적게 와요. 일 년 동안 내리는 비의 대부분이 6~9월 사이에 내려요.

봄은 겨울과 여름 사이의 계절로 보통 3~5월을 봄이라고 해요. 봄에는 중국과 우리나라 사이에 고기압과 저기압이 번갈아가며 생겨요. 그래서 우리나라의 봄 날씨는 번갈아가면서 맑거나 흐려지게 된답니다. 봄에는 날씨가 점점 따뜻해지지만 때때로 꽃샘추위가 나타나요. 또 낮에는 기온이 높지만 밤에는 기온이 낮아서 시간에 따른 온도의 차이가 커요. 비가 내리지 않아 이상 건조 현상이 일어나기도 하고, 반갑지 않은 황사❶ 현상도 많이 나타나지요. 하지만 철새가 날아오고 남쪽으로부터 꽃 소식도 들려오는 계절이랍니다.

여름은 봄과 가을 사이의 계절로, 보통 6~8월을 여름이라고 해요. 6월 말에서 7월 말 정도까지는 장마로 비가 많이 내리지만, 장마 전선이 이동하면서 날씨가 좋을 때도 있어요. 장마 전선이 북쪽으로 올라가 북태평양 고기압이 강해지는 7월 말부터 8월 초가 되면 본격적인 더위가 시작되지요. 여름에는 하루 최고 기온이 30℃를 넘는 날이 많으며, 밤에도 기온이 25℃를 넘는 열대야 현상이 나타나기도 해요.

가을은 여름과 겨울 사이의 계절로 보통 9~11월을 가을이라고 해요. 아침저녁으로 날씨가 선선해지면서 기온 차이가 벌어져요. 대체로 10월로 접어들면 강수량이 적어지고 공기 중의 습도가 낮아져 맑고 상쾌한 날씨가 이어지지요. 또 산과 들이 온통 단풍으로 물들어 일 년 중 가장 화려한 풍경을 자랑해요.

보통 12~2월을 겨울이라고 해요. 겨울에는 찬 대륙 고기압의 영향으로 차갑

고 메마른 북서 계절풍❷이 불고 갑자기 기온이 내려가는 일이 많아요. 또 눈이 많이 내리고 맑고 건조한 날씨가 많아져요. 갑자기 날씨가 추워지는 한파가 지나가면 일시적으로 기온이 오르고 바람이 잔잔해져요. 보통 3일은 춥고 4일은 따뜻하다고 해서 '삼한사온' 현상이라고 하지요.

낱말풀이

❶ 황사 중국 대륙의 사막이나 황토 지대에 있는 가는 모래가 강한 바람으로 인하여 날아올랐다가 점차 내려오는 현상.
❷ 계절풍 계절에 따라 주기적으로 일정한 방향으로 부는 바람. 여름에는 바다에서 대륙으로, 겨울에는 대륙에서 바다로 분다. 바람이 나타나는 위도에 따라 열대 계절풍, 아열대 계절풍, 온대 계절풍 따위로 구분한다. '철바람'으로 순화.

1 **주제찾기**

글의 중심 내용을 가장 잘 드러낸 문장은 어느 것입니까? ────────── (   )

① 우리나라는 강수량이 많다.
② 우리나라의 여름은 기온이 높다.
③ 우리나라의 기온과 강수량은 일정하다.
④ 우리나라의 이상 기후 현상이 심각하다.
⑤ 우리나라는 계절에 따라 날씨의 특징이 뚜렷하다.

2 **제목찾기**

보기 에서 빈칸에 알맞은 낱말을 찾아 글의 제목을 붙이세요.

보기

| 우리나라 | 다른 나라 | 계절 | 가을 | 겨울 |

| | | | |의| | |

해설편 17쪽

3 **사실이해**

봄과 <u>어긋나는</u> 설명을 고르세요. ────────── (   )

① 황사가 찾아온다.   ② 꽃샘추위가 나타난다.
③ 날씨가 점점 따뜻해진다.   ④ 산과 들이 단풍으로 물든다.
⑤ 남쪽에서부터 꽃이 피기 시작한다.

4 10월 1일에 할 이야기로 알맞은 것을 고르세요. ·························· (　　)

미루어알기
① 일주일 내내 비가 내려요.　　　② 하얀 눈이 소복소복 쌓였어요.

③ 모래바람 때문에 목이 아파요.　　④ 낮에 너무 더워 땀이 줄줄 흘러요.

⑤ 산과 들이 주황색으로 물들기 시작해요.

5 계절의 특징을 알려주는 낱말이 <u>아닌</u> 것을 고르세요. ················ (　　)

세부내용
① 고기압　　　　② 꽃샘추위　　　　③ 열대야

④ 단풍　　　　　⑤ 한파

6 봄철 날씨의 특징에 잘 대비한 사람은 누구입니까? ·················· (　　)

적용하기
① 준서: 더울수록 물을 많이 마셔.

② 연주: 장마 기간엔 우산을 꼭 챙겨 집을 나서고 있어.

③ 자은: 꽃가루나 황사가 심한 날에 마스크를 꼭 쓰고 나가.

④ 사랑: 춥다고 움츠러들지 않고 가벼운 체조를 집에서 하고 있어.

⑤ 민우: 빙판길에서는 손을 주머니에 넣지 않고 장갑을 꼭 끼고 걸어.

7 각 문단의 주요 내용을 간추렸습니다. 빈칸을 채우세요.

요약하기

1문단	①□□ 에 따라 변화가 큰 우리나라 기온과 강수량
2문단	봄 날씨의 특징
3문단	②□□ 날씨의 특징
4문단	가을 날씨의 특징
5문단	③□□ 날씨의 특징

어휘 넓히기

뜻 낱말의 뜻풀이로 알맞은 것을 [보기]에서 골라 괄호 안에 기호를 쓰세요.

(1) 이상   (   )

(2) 본격적   (   )

(3) 메마르다   (   )

[보기]
- ㉠ 일의 진행 상태가 제 궤도에 올라 매우 활발한 것.
- ㉡ 정상적인 것과 다름.
- ㉢ 촉촉한 기운이 없고 건조하다.

다지기 아래 문장의 빈칸에 알맞은 낱말을 [보기]에서 찾아 쓰세요.

[보기]

메마른   이상   본격적

(1) 8월이 되자 무더위가 □□□으로 시작되었다.

(2) 몸에 □□을 느끼고 병원을 찾았다.

(3) □□□ 날씨가 이어지자 산불이 자주 났다.

넓히기 밑줄 친 낱말을 맞춤법에 맞게 고쳐 보세요.

(1) 여름에는 무척 <u>더워저요</u>.

→ □□□□

(2) 봄에는 <u>꽃셈추위</u>가 나타나요.

→ □□□□

(3) <u>땃듯한</u> 날씨에 졸음이 쏟아져요.

→ □□□

시간 공부 날짜 □ 월 □ 일

푸는데 걸린 시간 □ 분

확인 맞은 개수 써보기

독해 □ 개 / 7개   어휘 □ 개 / 9개

해설편
17쪽

여러분은 치과에 갈 때 어떤 마음이 드나요? 아마 가기 싫고 무섭다는 느낌이 많겠지요? 특히 동물들에게는 더욱 그럴 것 같아요. 그래도 이번 이야기에는 이 고치는 솜씨가 좋은 생쥐 선생님이 나온답니다. 몸집이 아주 작은 생쥐 선생님이 과연 어떻게 환자들을 치료할까요?

점수계산 1. 15점 2. 15점 3. 10점 4. 15점 5. 15점 6. 15점 7. 15점

치과 의사 드소토 선생님은 이 고치는 솜씨가 아주 좋았어요. 선생님은 쥐라서, 쥐에게 위험한 동물을 치료하지 않았어요. 그런 말은 간판에도 쓰여 있었지요. 그래서 현관의 종이 울리면 선생님과 부인은 창밖을 내다보았어요. 그러고는 아무리 겁 많아 보이는 고양이라도 병원 문을 열어 주지 않았어요.

"제발 도와주세요! 이가 너무 아파요!"

여우가 엉엉 울면서 말했어요. 정말 딱해 보였어요.

"잠깐만 기다려 봐요."

선생님은 이렇게 여우에게 말한 다음, 부인에게 작은 소리로 물었어요.

"참 ㉠딱한 여우로군, 여보, 어떻게 하면 좋겠소?"

"위험하지만 한번 해 봐요, 우리."

부인이 말했어요. 그러고는 여우에게 문을 열어 주었어요.

드소토 선생님은 용감하게도 여우의 입안으로 들어갔어요.

"아프지만 않게 해 주세요." / 여우는 울면서 말했어요.

"자, 이 가스를 들이마셔요. 그러면 내가 이를 뽑아도 하나도 아프지 않을 겁니다."

드소토 선생님이 말했어요. 여우는 곧 꿈나라로 빠져들었어요.

"음, 음, 음냐음냐……. 날로 먹으면 정말 맛있을 거야. 소금을 솔솔 뿌리고"

하고 여우는 잠꼬대를 했어요.

선생님 부부는 여우가 무슨 꿈을 꾸는지 알 수 있었어요.

드소토 선생님은 썩은 이에 실을 붙들어 맸어요. 그러고 나서 부인하고 도르래를 돌리기 시작했어요. 마침내 이가 쑥 뽑혀 나와 공중에 대롱대롱 매달렸어요.

정신을 차린 여우가 컹컹 울부짖었어요. 드소토 선생님은 얼른 사다리를 타고 올라가 이 뺀 구멍을 솜뭉치로 막았어요.

"자, 이제는 아프지 않을 겁니다. 내일 새 이를 넣어 드리겠습니다. 열한 시 정각에

오십시오."

선생님은 말했어요. 여우는 멍한 표정으로 인사를 하고 병원을 나왔어요. 집에 가면서 여우는 '내일 치료가 끝나고 의사 선생님을 잡아먹으면 나쁜 일일까 아닐까?' 하고 생각해 보았어요.

여우가 간 뒤, 선생님 부부는 자신들을 지키기 위해 이야기하고 또 이야기하면서 계획을 세웠어요.

다음 날 아침, 정확하게 열한 시에 여우가 아주 명랑한 얼굴로 나타났어요. 이는 하나도 아파 보이지 않았어요.

드소토 선생님이 여우의 입안으로 들어가자, 여우가 갑자기 입을 탁 다물었어요. 조금 뒤, 여우는 다시 입을 벌리면서 / "장난이에요, 헤헤!" 하고 웃어댔어요.

"장난치지 말아요. 지금 치료를 하고 있으니까."

선생님이 호되게 말했어요. 부인은 새 이를 힘겹게 들고 올라왔어요.

"아직 안 끝났습니다." / 선생님은 커다란 병을 들어 올리면서 말했어요.

1 주제찾기

이야기의 중심 줄거리는 무엇입니까? ──────────────────────── (   )

① 드소토 선생님은 이 고치는 솜씨가 좋았다.
② 여우가 드소토 선생님 부부를 잡아먹는 꿈을 꾸었다.
③ 드소토 선생님은 쥐에게 위험한 동물들은 치료하지 않았다.
④ 여우가 아파서 우는 모습을 보고 치료를 해 주기로 허락하였다.
⑤ 여우가 드소토 선생님을 잡아먹으려고 하자 드소토 선생님은 자신을 보호하기 위해 부인과 궁리를 하였다.

7주 34회 해설편 17쪽

2 글감찾기

보기 에서 알맞은 낱말을 찾아 등장인물의 이름으로 제목을 붙이세요.

보기				
치과	의사	드소토	부인	여우

☐☐ ☐☐ ☐☐ 선생님

3 사실이해

가장 먼저 일어난 일은 무엇입니까? ──────────────── (　　)

① 여우가 치과를 찾아왔다.　　　　② 여우에게 병원 문을 열어 주었다.

③ 여우가 잠꼬대를 했다.　　　　　④ 여우의 이가 빠진 구멍을 막았다.

⑤ 여우에게 새 이를 끼워 주었다.

4 미루어알기

여우가 잠꼬대하면서 떠올린 생각은 무엇일까요. ──────── (　　)

① 몹시 배가 고프다.　　　　　　② 치과에 자주 와야 편하다.

③ 의사 부부를 잡아먹어야겠다.　　④ 잠을 자고 나면 치료가 끝나 있겠다.

⑤ 집에 돌아가면서 의사 부부를 기억한다.

5 세부내용

㉠을 바꿔쓸 수 있는 말을 고르세요. ──────────────── (　　)

① 고마운　　　　　② 예쁜　　　　　③ 귀여운

④ 가여운　　　　　⑤ 재미있는

6 적용하기

여우를 향해 할 수 있는 알맞은 말은 어느 것입니까? ──────── (　　)

① 앞길이 구만리인데.　　　　　② 빛 좋은 개살구라던데.

③ 원님 덕에 나팔 분다고.　　　④ 은혜를 원수로 갚는다더니.

⑤ 변덕이 죽 끓듯 하는군.

7 요약하기

이야기를 다음과 같이 간추렸습니다. 빈칸을 채우세요.

> 이 고치는 솜씨가 아주 좋은 치과 의사 ① ☐☐☐ 선생님은 어느 날 ② ☐☐ 를 치료하게 되었어요. 아파서 엉엉 우는 여우가 딱해서 썩은 이를 빼주었지요. 그런데 여우는 선생님 부부를 잡아먹으려고 하는 것 같았어요. 그래서 선생님 부부는 자신들을 지키기 위해 ③ ☐ ☐ 을 세웠어요. 다음날 새 이를 넣으러 여우가 다시 나타났어요.

어휘 넓히기

뜻 낱말의 뜻풀이로 알맞은 것을 보기 에서 골라 괄호 안에 기호를 쓰세요.

(1) 도르래 ( )
(2) 명랑하다 ( )
(3) 딱하다 ( )

보기
ㄱ 애처롭고 가엾다.
ㄴ 바퀴에 홈을 파고 줄을 걸어서 돌려 물건을 움직이는 장치.
ㄷ 유쾌하고 활발하다.

다지기 아래 문장의 빈칸에 알맞은 낱말을 보기 에서 찾아 쓰세요.

보기
명랑한　　　도르래　　　딱하여

(1) 배고파하는 베짱이가 ⬜⬜⬜ 개미는 먹이를 조금 나눠주었다.

(2) 엘리베이터는 ⬜⬜⬜ 의 원리가 적용된 물건이다.

(3) 친구는 힘들 때도 항상 ⬜⬜⬜ 표정을 잃지 않는다.

넓히기 밑줄 친 낱말을 맞춤법에 맞게 고쳐 보세요.

(1) 몸집이 큰 동물들은 바닥에 <u>안쳤어요</u>.

→ ⬜⬜⬜⬜

(2) 이제는 아프지 않을 <u>껌니다</u>.

→ ⬜⬜⬜

(3) 여우가 <u>울부지졌습니다</u>.

→ ⬜⬜⬜⬜⬜⬜⬜

시간 공부 날짜 ⬜ 월 ⬜ 일
푸는데 걸린 시간 ⬜ 분

확인 맞은 개수 써보기

독해	⬜ 개/7개	어휘	⬜ 개/9개

35

가을은 날씨가 어떤가요? 보통 아침저녁에는 쌀쌀하지만 낮에는 맑고 따뜻해요. 나뭇잎들이 사람처럼 느낌이나 생각을 할 수 있다면 가을 날씨를 어떻게 느낄까요?

접수
계산　　1. 15점　2. 15점　3. 15점　4. 15점　5. 10점　6. 15점　7. 15점

오늘 아침 창 밑에

나뭇잎이요

옹기종기 웅크리고

모여 앉아서

어제 저녁 바람은

대단했다고

소곤소곤하면서

발발 떱니다.

1 **주제찾기** 시의 중심 내용은 무엇인가요? ─────────────────── (　　)

① 오늘 겪은 일

② 두 사람의 대화

③ 떨고 있는 사람들

④ 나뭇잎이 진 아침 풍경

⑤ 어제저녁에 불던 바람 소리

2 **글감찾기** 시에서 누구의 말과 움직임을 그리고 있는지 찾아 쓰세요.

```
┌──────────────────────────────────────────────┐
│                    ┌──┬──┬──┐                  │
│                    │  │  │  │                  │
│                    └──┴──┴──┘                  │
└──────────────────────────────────────────────┘
```

3 **사실이해** 시의 배경이 된 시간은 언제입니까? ─────────────────── (　　)

① 여름 저녁

② 가을 아침

③ 가을 저녁

④ 겨울 아침

⑤ 겨울 저녁

4 **미루어알기** 시에서 떠올릴 수 있는 장면은 어느 것입니까? ─────────────────── (　　)

① 눈이 많이 내린다.

② 아이들이 많이 모여 있다.

③ 아이들이 이야기를 나눈다.

④ 아이들이 추위에 떨고 있다.

⑤ 창 밑에 나뭇잎이 모여 있다.

5

세부내용

소리를 흉내 낸 말은 어느 것입니까? ———————————————— (　　)

① 오늘 아침

② 창 밑에

③ 앉아서

④ 소곤소곤

⑤ 떱니다

6

적용하기

다음에서 밑줄 그은 낱말 중 소리를 흉내 낸 말이 아닌 것을 고르세요. ——— (　　)

① 초인종이 <u>띵동</u> 울렸다.

② 거울이 <u>쨍그랑</u> 깨졌다.

③ <u>콜록콜록</u>하고 동생이 기침을 했다.

④ 선생님의 농담에 모두 <u>하하</u> 웃었다.

⑤ 도둑은 경찰을 피해 <u>재빨리</u> 달아났다.

7

요약하기

시를 다음과 같이 간추렸습니다. 빈칸을 채우세요.

오늘 아침 ① ☐☐☐ 이 창 밑에 옹기종기 모여 어제저녁

② ☐☐ 을 이야기하며 발발 떨고 있어요.

어휘 넓히기

뜻

낱말의 뜻풀이로 알맞은 것을 보기 에서 골라 괄호 안에 기호를 쓰세요.

(1) 소곤소곤 (　　　)

(2) 웅크리다 (　　　)

(3) 옹기종기 (　　　)

보기
> ㉠ 크기가 다른 작은 것들이 고르지 아니하게 많이 모여 있는 모양.
> ㉡ 몸 따위를 움츠러들이다.
> ㉢ 남이 알아듣지 못하도록 작은 목소리로 자꾸 가만가만 이야기하는 소리. 또는 그 모양.

다지기

아래 문장의 빈칸에 알맞은 낱말을 보기 에서 찾아 쓰세요.

보기
> 웅크리고　　　소곤소곤　　　옹기종기

(1) 사자가 풀밭에 [　][　][　][　] 사냥감을 노리고 있다.

(2) 아이들은 [　][　][　] 둘러앉아 할아버지의 이야기를 들었다.

(3) 친구의 귀에다 [　][　][　][　] 귓속말을 하였다.

넓히기

밑줄 친 낱말을 맞춤법에 맞게 고쳐 보세요.

(1) 편지가 오늘 아침 창 <u>밑에</u> 있었다.

→ [　][　]

(2) 힐끔대며 <u>움크리고</u> 앉았다.

→ [　][　][　][　]

(3) <u>어젯저녁</u>에 호박죽을 먹었다.

→ [　][　][　][　]

7주 35회 해설편 18쪽

시간 공부 날짜 [　]월 [　]일
푸는데 걸린 시간 [　]분

확인 맞은 개수 써보기

| 독해 | [　]개 /7개 | 어휘 | [　]개 /9개 |

어휘·어법 총정리 📖🔍

어휘 | 보기 의 낱말을 보고, 뜻과 어울리는 것을 골라 아래의 빈칸에 써보세요.

보기 | 메마르다   대롱대롱   소곤소곤   그릇되다   다행히   빚

1. 올바르지 않거나 나쁘다.

2. 뜻밖에 일이 잘되어 운이 좋게.

3. 촉촉한 기운이 없고 건조하다.

4. 남에게 갚아야 할 돈.

5. 작은 물건이 매달려 가볍게 잇따라 흔들리는 모양.

6. 남이 알아듣지 못하도록 작은 목소리로 자꾸 가만가 만 이야기하는 소리

어법 다음 중 맞춤법에 맞는 것을 골라 동그라미 하세요.

1. [계절 / 개절]에 맞는 옷차림.

2. 낙엽이 [메말라 / 매말라] 버석거린다.

3. [천천히 / 천천이] 해도 돼.

4. 장마가 [본격적 / 본격적]으로 시작됐다.

5. 구석에 [웅크리고 / 웅쿠리고] 누웠다.

6. [창 밑을 / 창 미틀] 봐.

7. [바닦에 / 바닥에] 앉았어요.

8. [도르래 / 도르레]의 원리이다.

확인 나의 점수 확인하기

어휘	개 / 6개	어법	개 / 8개

8주차

회차 / 영역	제목	계획 및 점검
36 인문|설명문	**꾸며주는 말** • 나는 ☐월 ☐일 ☐시에 공부할 것입니다.	• 독해력에서 나의 점수는 ☐점입니다. • 어휘력에서 맞은 문제수는 ☐개 / 9개 입니다. • 어려웠던 문제는 ＿＿＿＿ 번입니다.
37 사회|설명문	**임금님의 집 창덕궁** • 나는 ☐월 ☐일 ☐시에 공부할 것입니다.	• 독해력에서 나의 점수는 ☐점입니다. • 어휘력에서 맞은 문제수는 ☐개 / 9개 입니다. • 어려웠던 문제는 ＿＿＿＿ 번입니다.
38 과학|설명문	**충분히 자요** • 나는 ☐월 ☐일 ☐시에 공부할 것입니다.	• 독해력에서 나의 점수는 ☐점입니다. • 어휘력에서 맞은 문제수는 ☐개 / 9개 입니다. • 어려웠던 문제는 ＿＿＿＿ 번입니다.
39 산문문학|이야기	**받아쓰기 시험** • 나는 ☐월 ☐일 ☐시에 공부할 것입니다.	• 독해력에서 나의 점수는 ☐점입니다. • 어휘력에서 맞은 문제수는 ☐개 / 9개 입니다. • 어려웠던 문제는 ＿＿＿＿ 번입니다.
40 운문문학|시	**떡볶이** • 나는 ☐월 ☐일 ☐시에 공부할 것입니다.	• 독해력에서 나의 점수는 ☐점입니다. • 어휘력에서 맞은 문제수는 ☐개 / 9개 입니다. • 어려웠던 문제는 ＿＿＿＿ 번입니다.

• 이번 주 독해력 문제에서 나의 점수는 평균 ☐점입니다.

• 이번 주 어휘력에서 맞은 문제수는 모두 ☐개입니다.

36

여러분은 일기를 쓰고 있나요? 보통, 하루 중 가장 중요한 일을 일기에 쓰지요. 그때 꾸며주는 말을 넣어 문장을 만들어 보세요. 훨씬 생생하고 실감나는 일기가 될 거예요.

점수 계산 1. 15점 2. 15점 3. 10점 4. 15점 5. 15점 6. 15점 7. 15점

뒤에 오는 말을 꾸며 주어 그 뜻을 자세하게 해 주는 말을 꾸며주는 말이라고 해요.

(가) 오늘은 비가 내렸다. 나는 장화를 신고 학교에 갔다. 우산을 돌리니 빗방울이 떨어졌다.

(나) 오늘은 비가 주룩주룩 내렸다. 나는 노란 장화를 신고 학교에 갔다. 우산을 돌리니 굵은 빗방울이 후드득 떨어졌다.

(가)와 (나)를 비교하여 보면, '노란', '굵은'이 새로 들어간 (나)가 모양이나 성질을 더욱 자세히 드러내고 있음을 알 수 있지요. 또 '주룩주룩'이나 '후드득'처럼 흉내 내는 말도 그다음에 놓이는 말의 성질이나 모양을 더욱 잘 드러나게 하고 있지요.

꾸며주는 말은 물건이나 경치의 모양, 성질에 대한 느낌을 잘 드러내어 줍니다. '커다란 수박이 있다.'에서 '커다란'은 '수박'의 모양을 자세히 드러내고 있습니다. '튼튼한 거북선이 바다에 나간다.'에서 '튼튼한'은 '거북선'의 성질에 대한 느낌을 자세히 드러내고 있습니다. 이처럼 꾸며주는 말은 내 생각을 정확하게 나타낼 수 있고, 느낌을 실감이 나게 드러낼 수 있습니다.

1
주제찾기
전하고자 한 중심 내용은 무엇입니까? ──────────── ( )

① 어떤 말의 앞에 붙는 말
② 어떤 말의 뒤에 놓이는 말
③ 앞에 놓이는 말과 뒤따르는 말
④ 모양이나 성질이 잘 드러나게 하는 말
⑤ 꾸며주는 말에 의해 뜻이 다르게 되는 말

2
글감찾기
글감으로 삼고 있는 말을 글에서 찾아 옮겨 쓰세요.

3
사실이해
'뒤에 오는 말을 꾸며 주어 그 뜻을 자세하게 해 주는 말'을 무엇이라고 합니까?
──────────────────────────── ( )

① 속담
② 말놀이
③ 꾸며주는 말
④ 모양을 흉내 내는 말
⑤ 소리를 흉내 내는 말

4
미루어알기
'꾸며주는 말'이 <u>아닌</u> 것을 고르세요. ──────────── ( )

① 노란
② 굵은
③ 우산을
④ 후드득
⑤ 주룩주룩

5 세부내용 '주룩주룩'은 무엇을 흉내 낸 말입니까? ──────────────────────── (　　)

① 맛
② 소리
③ 색깔
④ 냄새
⑤ 향기

6 적용하기 뜻을 가장 자세하게 드러낸 문장은 어느 것입니까? ──────────────── (　　)

① 오늘은 비가 내렸다.
② 마침내 오늘은 비가 내렸다.
③ 오늘은 비가 온종일 내렸다.
④ 오늘은 마침내 기다리던 비가 내렸다.
⑤ 오늘은 마침내 기다리던 비가 온종일 주룩주룩 내렸다.

7 요약하기 꾸며주는 말에 대해 다음과 같이 간추렸습니다. 빈칸을 채우세요.

꾸며주는 말의 뜻	① [　　] 이나 ② [　　] 이 더 잘 드러나게 하는 말
꾸며주는 말로 할 수 있는 일	내 생각을 ③ [　　] 하게 나타낼 수 있고 느낌을 ④ [　　] 나게 드러낼 수 있다.

어휘 넓히기

뜻　낱말의 뜻풀이로 알맞은 것을 보기 에서 골라 괄호 안에 기호를 쓰세요.

(1) 자세하다 (　　)

(2) 실감나다 (　　)

(3) 드러내다 (　　)

보기
⊙ 사소한 부분까지 아주 구체적이고 분명하다.
ⓒ 숨겨지거나 알려지지 않았던 것을 나타내어 알게 하다.
ⓒ 실제로 체험하는 듯한 느낌이 들다.

다지기　아래 문장의 빈칸에 알맞은 낱말을 보기 에서 찾아 쓰세요.

보기
　　　자세하여　　　실감나게　　　드러내며

(1) 늑대가 속마음을 　　　　 빨간 모자 소녀를 보고 웃었다.

(2) 교과서에 설명이 　　　 이해가 잘 된다.

(3) 이 영화는 동물이 살아가는 모습을 　　　 그렸다.

넓히기　밑줄 친 낱말을 맞춤법에 맞게 고쳐 보세요.

(1) 비방울이 떨어졌다.

→ 　　　

(2) 자새하게 설명해.

→ 　　　

(3) 굴근 털실로 짠 목도리.

→ 　　

시간　공부 날짜 　　월 　　일
푸는데 걸린 시간 　　분

확인　맞은 개수 써보기
독해 　　개 / 7개
어휘 　　개 / 9개

8주 36회

해설편 18쪽

37

옛날에 임금님은 어디서 어떻게 살았을까요? 오늘날 우리가 살고 있는 집과 어떻게 얼마나 다른지 알려면 궁궐을 찾아가면 되어요. 서울에는 경복궁, 창덕궁, 덕수궁과 같은 우리의 옛 궁궐들이 아직 남아 있답니다.

점수계산 1. 15점 2. 15점 3. 10점 4. 15점 5. 15점 6. 15점 7. 15점

궁궐은 임금님의 집이야. 뒤로는 산이 두르고 앞으로는 물이 흐르는 좋은 곳에 지었지. / 임금님은 궁궐에서 나라를 다스렸어.

창덕궁❶은 가장 많은 임금님이 살았던 곳이야.

자연과 잘 어우러진 아름다운 궁궐이지.

우뚝 솟은 큰 문이 보이지? / 멀리서도 우러러보도록 2층으로 높고 크게 지었어.

아무나 함부로 들어가지 못하게 군사들이 지켰지. / 가운데 문은 왜 닫혀 있을까?

가운데 넓은 문으로는 임금님만 다닐 수 있기 때문이야.

창덕궁 안으로 들어가려면 금천교라는 ㉠돌다리를 건너야 해.

돌다리 아래에는 냇물이 흘렀어.

나쁜 것들이 임금님 계신 곳으로 들어가지 못하게 막는 냇물이야.

신하들은 이 냇물에 나쁜 마음을 모두 흘려보내고 깨끗한 마음으로 임금님이 계신 곳으로 들어갔어.

이곳은 창덕궁의 으뜸 건물인 인정전이야.

궁궐 어디서나 눈에 띄도록 크고 화려하게 지었어.

나라의 중요한 행사를 하는 곳이거든.

임금님의 생신이나 큰 명절날에는 신하들이 인정전에서 임금님께 인사를 드렸어.

이곳은 다음 임금님이 될 세자가 사는 곳이야.

세자의 집은 해가 드는 동쪽에 지어 동궁이라고 해.

동궁에는 세자만을 위한 학교와 도서관도 있었어.

세자는 어려서부터 임금님이 되기 위한 준비를 하였어.

세 살 때부터 훌륭한 선생님을 모시고 공부하였지.

붓글씨와 예법을 익히고, 악기도 연주하였어.

좀 더 크면 활쏘기와 말타기도 배웠어. / 임금님이 들어가는 곳이 어디일까?

이곳에는 책이 삼만 권이나 있고 돌아가신 임금님들이 지은 시와 글씨도 있어.

신하들이 밤늦게까지 글을 읽으며 토론도 하지.

여기는 임금님의 도서관인 규장각❷이야.

규장각에서 임금님은 젊고 똑똑한 신하들과 학문을 연구하며 나라를 잘 다스리는 방법을 의논하였어.

임금님의 집 창덕궁에는 임금님과 함께 많은 사람이 살았어.

지금은 아무도 살고 있지 않지만 창덕궁은 소중한 문화를 간직한 채 서울 한가운데 당당하게 자리 잡고 있지.

우리는 언제라도 창덕궁에 가서 아름다운 궁궐의 모습을 볼 수 있어.

 낱말 풀이
❶ 창덕궁 서울특별시 종로구 와룡동에 있는 궁궐. 조선 태종 때에 건립된 것으로 역대 왕이 정치를 하고 상주하던 곳이며, 보물 383호인 돈화문 따위가 있다. 1997년에 유네스코 세계 문화유산으로 지정되었다.
❷ 규장각 조선 정조 즉위년(1776)에 설치한 왕실 도서관. 역대 임금의 글이나 글씨·초상화 등을 보관하고, 많은 책을 편찬·인쇄·반포하여 조선 후기의 문학의 기운을 불러일으키는 중심 역할을 하다가 1894년 갑오개혁 때 폐지하였다.

1 글의 중심 내용을 간추려 빈칸을 채우세요.
주제찾기

> 창덕궁 안에는 으뜸 궁전인 ☐☐☐이 있고, 도서관이라 할 수 있는 ☐☐☐이 있어 임금님이 나라를 다스리기 좋았다.

2 글의 제목으로 알맞은 것을 고르세요. ─────────── ( )
제목찾기
① 세자의 집　　② 궁궐의 큰 문　　③ 임금님의 도서관
④ 임금님의 집 창덕궁　　⑤ 돌다리 아래 흐르는 냇물

3 창덕궁에 들어갈 때 처음 마주하는 곳은 어디입니까? ─────── ( )

사실이해

① 큰 문   ② 금천교   ③ 인정전

④ 동궁   ⑤ 규장각

4 아름다운 궁궐은 어떤 곳에 자리를 잡는다고 볼 수 있습니까? ─────── ( )

미루어알기

① 사람들이 아주 많이 사는 곳

② 사람들의 흔적이 없는 외진 곳

③ 봄에 꽃이 많이 피고 아름다운 곳

④ 뒤로는 산이 두르고 앞으로는 물이 흐르는 곳

⑤ 나무가 울창하게 우거지고 온갖 짐승들이 사는 곳

5 ㉠은 '돌'과 '다리'가 합쳐 새로운 낱말을 이루었습니다. 이와 같은 방식으로 이루

세부내용

어진 낱말은 어느 것입니까? ─────────────────── ( )

① 으뜸   ② 가운데   ③ 붓글씨

④ 마음   ⑤ 모습

6 임금님이 지은 시와 글씨를 다시 보기 위해서는 어디로 가야 할까요? ───── ( )

적용하기

① 궁궐   ② 금천교   ③ 인정전

④ 동궁   ⑤ 규장각

7 창덕궁 안의 여러 곳을 설명한 순서입니다. 빈칸을 채우세요

요약하기

| 창덕궁의 큰 문 → 창덕궁의 입구, 금천교 → 창덕궁의 으뜸 건물 |
| ① ☐☐☐ → 임금님의 도서관 ② ☐☐☐ |

어휘 넓히기

뜻 낱말의 뜻풀이로 알맞은 것을 보기에서 골라 괄호 안에 기호를 쓰세요.

(1) 우러러보다 (　　)
(2) 익히다　　 (　　)
(3) 어우러지다 (　　)

> **보기**
> ㉠ 여럿이 조화를 이루거나 섞이다.
> ㉡ 위를 향하여 쳐다보다. 마음속으로 받들어 공경하다.
> ㉢ 서투르지 않을 정도로 여러 번 해 보아 솜씨가 있게 하다.

다지기 아래 문장의 빈칸에 알맞은 낱말을 보기에서 찾아 쓰세요.

> **보기**
> 어우러져　　　익히려면　　　우러러보며

(1) 길가에 이름 모를 들꽃들이 ☐☐☐☐ 피었다.

(2) 푸른 하늘을 ☐☐☐☐☐ 생각에 잠겼다.

(3) 악기를 하나 ☐☐☐☐ 많은 연습이 필요하다.

넓히기 밑줄 친 낱말을 맞춤법에 맞게 고쳐 보세요.

(1) <u>함부러</u> 들어가면 안 돼.

　→ ☐☐☐

(2) 활쏘기와 말타기도 <u>배었어</u>.

　→ ☐☐☐

(3) 할머니가 주신 사랑을 <u>간직한 체</u> 살고 싶다.

　→ ☐☐☐☐

시간 공부 날짜 ☐ 월 ☐ 일
푸는데 걸린 시간 ☐ 분

확인 맞은 개수 써보기

독해	☐개／7개	어휘	☐개／9개

해설편 19쪽

너무 늦게 자거나 걱정 때문에 밤새 뒤척이면 다음 날 아침 일어나기 힘들지요? 종일 기운이 없고 피곤하기도 해요. 이렇게 잠은 중요해요. 글을 읽고 좀 더 자세히 알아볼까요?

점수 계산 1. 15점 2. 10점 3. 15점 4. 15점 5. 15점 6. 15점 7. 15점

　　사람들을 잠을 자지 못하게 하면서 계속 깨어 있도록 하면 어떻게 될까요? 사람은 하루만 잠을 자지 못해도 온 힘을 다해 일을 열심히 하는 힘이 떨어지고 기운이 없어지지요. 사람의 몸은 밝을 때 일하고 어두워지면 쉬도록 맞추어져 있답니다. 몸뿐만 아니라 마음도 그렇답니다. 일주일이 넘도록 잠을 자지 못한다면 기억력이 떨어지고 멍해져서, 무엇이 어떠한지, 무엇을 어떻게 해야 하는지 판단을 올바로 내릴 수도 없을 거예요.

　　우리가 조금만 관심을 가지고 관찰해 보면, 갓 태어난 아기들은 하루 대부분을 자면서 보냅니다. 잠자는 시간이 나이가 들면서 차츰차츰 줄어들어 초등학교에 들어갈 때쯤이면 8~9시간 정도 자게 됩니다. 사람은 정상적인 생활을 하기 위해서는 적어도 하루에 6~8시간은 잠을 자야 하죠. 온몸의 힘을 빼고 편안하게 쉴 수 있는 시간이 바로 잠자는 시간이니까요. 잠이 부족하면 성장 호르몬이 우리 몸에서 충분히 분비되지 못해서 키도 많이 크지 못한답니다.

　　하루 중의 많은 시간을 잠으로 보내는 게 너무 아깝다고요? 그렇지 않아요. 잠을 자는 동안에도 뇌는 쉬지 않아요. 과학자들이 잠자는 동안 뇌를 관찰하니까, 잠을 자는 동안에도 뇌가 끊임없이 뭔가를 하고 있다는 사실을 알아냈어요. 병원에서 의사 선생님이 환자의 머리에 온통 반창고 비슷한 것을 붙여놓고 복잡한 기계에 선으로 연결한 다음 실험과 관찰을 하는 것을 보았을 거예요. 그런 관찰을 통해 잠자는 동안에도 뇌가 끊

임없이 일하고 있다는 사실을 알아낸 것이에요.

관찰해 보면, 뇌에서 '뇌파'라는 것이 나오는데, 뇌파는 뇌에서 나오는 약한 전류랍니다. 이 전류를 살펴보면 뇌의 상태를 알 수 있어요. 꿈을 꾸는 동안의 뇌는 깨어 있을 때와 마찬가지의 뇌파를 흘려보낸답니다. ㉠잠을 잘 때 비록 몸은 쉬고 있지만, 뇌는 열심히 활동하고 있는 거예요. 그러니까 밤에는 마음 편히 푹 자도록 해요. 그렇게 편히 자더라도 몸에 이상이 생기는 일은 전혀 없으며, 오히려 다음 날의 힘찬 활동에 큰 도움이 됩니다.

1
주제찾기

글쓴이의 중심 생각은 무엇입니까? ────────────── ( )

① 잠은 키를 크게 한다.
② 뇌는 자는 동안에도 활동한다.
③ 나이가 들수록 잠자는 시간이 준다.
④ 건강하게 살려면 잠을 충분히 자야 한다.
⑤ 아침에 일찍 일어나 하루를 시작해야 한다.

2
글감찾기

글감으로 삼은 낱말 하나를 글에서 찾아 쓰세요.

3
사실이해

하루 동안 잠을 자지 못하면 어떻게 된다고 했나요? ──────── ( )

① 외로움을 많이 느낀다.
② 머리가 아프고 울렁거린다.
③ 힘이 떨어지고 기운이 없어진다.
④ 배가 너무 고파 먹을 것을 찾는다.
⑤ 걷지를 못하고 누워서 끙끙 앓는다.

4 밤새워 일하고, 낮에 피로를 풀기 위해서는 어떻게 해야 할까요? ·········· ( )

미루어알기

① 낮은 산에 올라간다.

② 빠른 걸음으로 걷는다.

③ 친구들을 만나 이야기한다.

④ 방을 어둡게 하고 충분히 잔다.

⑤ 기름진 음식을 먹고 운동을 한다.

5 '자다-잠'과 같은 관계를 보여 주는 낱말의 짝을 고르세요. ·········· ( )

세부내용

① 꾸다-꿈   ② 온힘-힘

③ 크다-크게   ④ 발-양말

⑤ 높다-낮다

6 ㉠과 같은 사실을 알 수 있도록 해 주는 말은 어느 것입니까? ·········· ( )

적용하기

① 꿈 깨다.   ② 꿈에 나타나다.

③ 꿈도 못 꾸다.   ④ 꿈도 야무지다.

⑤ 꿈에도 생각지 못하다.

7 각 문단의 주요 내용을 간추렸습니다. 빈칸을 채우세요.

요약하기

1문단	① [ ] 을 오래 자지 못했을 때의 몸과 마음
2문단	충분히 잠을 자야 하는 이유
3~4문단	잠자는 동안에도 일을 하는 ② [ ]

뜻 낱말의 뜻풀이로 알맞은 것을 보기 에서 골라 괄호 안에 기호를 쓰세요.

(1) 차츰차츰 (　　　)

(2) 관찰하다 (　　　)

(3) 끊임없이 (　　　)

보기
ㄱ 사물의 상태나 정도가 점차로 진행되어 가거나 변화하는 모양을 나타내는 말.
ㄴ 주의하여 잘 살펴보다.
ㄷ 계속하거나 이어져 있던 것이 끊이지 아니하게.

다지기 아래 문장의 빈칸에 알맞은 낱말을 보기 에서 찾아 쓰세요.

보기
관찰하여　　　　차츰차츰　　　　끊임없이

(1) 해가 ☐☐☐☐ 지고 있다.

(2) 계절은 ☐☐☐☐ 되풀이된다.

(3) 식물의 성장을 ☐☐☐☐ 일기를 썼다.

넓히기 밑줄 친 낱말을 맞춤법에 맞게 고쳐 보세요.

(1) <u>옳바른</u> 판단을 합시다.

→ ☐☐☐

(2) 오히려 다음 날의 힘찬 <u>할동</u>에 큰 도움이 됩니다.

→ ☐☐

(3) 그렇다면 말할 수가 없을 <u>꺼예요</u>.

→ ☐☐☐

시간 공부 날짜 ☐ 월 ☐ 일

푸는데 걸린 시간 ☐ 분

확인 맞은 개수 써보기

| 독해 | ☐개/7개 | 어휘 | ☐개/9개 |

39

 받아쓰기 시험은 열심히 준비한 학생, 준비하지 않은 학생 모두 떨리는 시간이에요. 다음 이야기에서는 받아쓰기 시험을 둘러싸고 어떤 일이 펼쳐지는지 함께 살펴보아요.

접수
계산   1. 15점   2. 10점   3. 15점   4. 15점   5. 15점   6. 15점   7. 15점

〈1교시에 받아쓰기 시험〉

– "국어" 5단원

– 70점 밑으로는 숙제 낼 거니까 열심히 하세요.

몇 자 되지도 않는 하얀 글씨가 눈앞을 캄캄하게 만들었다. 당장 책을 펼쳤지만 이미 얼어 버린 머릿속에 글자가 제대로 들어올 리 없었다.

처음 칠판을 보았을 때는 눈앞이 캄캄하고 머릿속은 새하얘졌다. 그런데 다시 생각하여 보니 그럴 필요가 없었다. 은수는 받아쓰기를 잘할 자신은 없었지만 그렇다고 벌벌 떨 필요도 없다고 생각하였다. 그렇게 마음을 먹으니 하얀색과 검은색밖에 없던 은수의 눈에 원래대로 색깔이 돌아왔다.

"넌 백 점 맞을 게 뻔한데 무엇하러 그렇게 열심히 하니?"

은수는 괜히 뒷자리에 앉은 승규를 집적거렸다.

"내가 넌 줄 아니? 넌 나랑 다르잖아." / 승규가 말하였다.

"놀기 싫으면 그냥 싫다고 하지, 왜 이상한 사람 취급을 해? 그래 알았다. 너같이 선생님께 사랑받고 공부 잘하는 애는 다 맞아라."

㉠"시끄러워. 너 때문에 공부가 안되잖아. 선생님께 이를 거야."

"그래, 일러라 일러. 에에, 삐아삐아!"

은수는 승규에게 입을 삐죽이며 삐아삐아를 보냈다. 삐아삐아는 은수가 상상 놀이를 할 때 쓰는 말인데 그때마다 뜻은 다르다. 보통 기분이 나쁘거나 마음에 들지 않는 일에 삐아삐아를 날려 보낸다. 신기하게도 삐아삐아를 날리면 기쁘고 통쾌한 마음은 커지고 화나고 속상한 마음은 산산조각 나 버린다. (㉡) 은수의 사전에는 남들이 모르는 이상한 낱말이 많이 들어 있다.

은수에게는 지루하기만 한 시간이 지나고 받아쓰기 시험이 시작되었다. 선생님께서 불러 주시는 말들이 ㉢비틀비틀 춤을 추며 다가왔다. 은수 앞에 펼쳐진 하얀 종이에는 검은 글씨가 삐뚤빼뚤 질서 없이 내려앉았다.

"다 됐지요? 연필 내려놓고 짝끼리 바꾸세요."

1번부터 10번까지 모두 열 문제가 끝났다. 아이들은 모두 빨간 색연필을 꺼내 들었다.

"정답 잘 확인하여 점수를 정확하게 매기세요."

선생님께서 칠판에 반듯하게 답을 적으셨다.

"야호!" / "어, 이상하네?" / "아이고!"

정답이 하나씩 써질 때마다 아이들의 입에서 터져 나오는 말소리도 제각각이었다.

잠시 뒤, 은수 앞에는 빨간 동그라미가 정확히 열 개 그려진 시험지가 놓였다.

'삐아삐아, 삐아삐아!'

은수는 시험지를 향하여 속으로 삐아삐아를 두 번 날렸다. 레이저 광선이라도 나와서 시험지를 뚫을 듯 눈빛이 날카로웠다.

"다 매겼으면 다시 짝한테 돌려주세요."

은수 앞에 놓여 있던 백 점짜리 시험지는 수진이 손으로 넘어갔다. 대신 돌아온 시험지에는 빨간 작대기 네 개가 가지런히 서 있었다. 수진이는 친절하게도 동글동글한 예쁜 글씨로 '60'이라고 써 놓기까지 하였다.

1
주제찾기

무엇을 중심 내용으로 삼은 이야기입니까? ────────────── (   )

① 아이들 사이의 큰 다툼
② 선생님의 가르침과 시험
③ 친구에게 상처 받은 아이의 모습
④ 받아쓰기 시험과 은수 마음의 변화
⑤ 아이들이 모둠 활동을 위해 해야 할 일

2
글감찾기

이야기에서 가장 중요한 글감을 찾아 네 글자로 쓰세요.

3
사실이해

가장 먼저 일어난 일을 고르세요. ────────────── (   )

① 선생님이 시험이 있다고 알려주었다.
② 은수가 뒷자리의 승규를 집적거렸다.
③ 승규에게 은수가 이상한 말을 날려 보냈다.
④ 아이들이 선생님이 불러 주시는 대로 받아썼다.
⑤ 답안지를 서로 바꾸어 정답을 확인하여 점수를 매겼다.

4 ⓐ을 말한 승규는 어떤 아이입니까? ──────────── ( )

미루어알기

① 받아쓰기를 잘하지 못하는 아이

② 혼자 상상 놀이를 즐겨 하는 아이

③ 기분이 나쁠 때 이상한 말을 하는 아이

④ 공부를 잘하지만 남 생각은 덜 하는 얄미운 아이

⑤ 겉으로는 차갑지만 남모르게 친구를 도와주는 아이

5 ⓒ에 들어갈 말로 알맞은 것은 무엇입니까? ──────────── ( )

세부내용

① 그런데   ② 그러나   ③ 하지만

④ 그래서   ⑤ 왜냐하면

6 글의 내용에 맞추어 연극으로 꾸며 보려고 합니다. 무대로 꾸밀 곳을 쓰세요.

적용하기

⇨ ☐☐

7 이야기를 다음과 같이 간추렸습니다. 빈칸을 채우세요.

요약하기

> 1교시에 ① ☐☐☐☐ 시험을 보게 되었다. 은수는 눈앞
> 이 캄캄하고 머릿속은 새하얘졌다. 은수와 승규는 받아쓰기를 둘러싸고 말
> 다툼을 하였다. 은수는 승규에게 ② ☐☐☐☐ 를 보냈고,
> 기분이 나아졌다. 드디어 받아쓰기 시험이 시작되었다. 선생님께서 불러주
> 시는 말들이 ③ ☐☐☐☐ 춤을 추며 은수에게 다가왔다.
> 시험이 끝나고 짝끼리 시험지를 바꿔 점수를 매긴 결과 은수는 60점을 맞
> 았다.

어휘 넓히기

뜻

낱말의 뜻풀이로 알맞은 것을 보기 에서 골라 괄호 안에 기호를 쓰세요.

(1) 산산조각 (　　)
(2) 비틀비틀 (　　)
(3) 삐뚤빼뚤 (　　)

보기
ⓐ 물체가 이쪽저쪽으로 기울어지며 자꾸 흔들리는 모양.
ⓑ 아주 잘게 깨어진 여러 조각.
ⓒ 힘이 없거나 어지러워서 몸을 바로 가누지 못하고 계속 이리저리 쓰러질 듯이 걷는 모양.

다지기

아래 문장의 빈칸에 알맞은 낱말을 보기 에서 찾아 쓰세요.

보기
비틀비틀　　삐뚤빼뚤　　산산조각

(1) 거울이 바닥에 떨어져 ☐☐☐☐ 으로 부서졌다.

(2) 막내는 색종이를 ☐☐☐☐ 오려 내어 공책에 붙였다.

(3) 잠에서 아직 덜 깬 동생이 방에서 ☐☐☐☐ 걸어 나왔다.

넓히기

밑줄 친 낱말을 맞춤법에 맞게 고쳐 보세요.

(1) 머릿속에 글자가 <u>재대로</u> 들어올 리 없었다.

→ ☐☐☐

(2) 이상한 낱말이 <u>마니</u> 들어 있다.

→ ☐☐

(3) 빨간 <u>작데기</u> 네 개가 가지런히 서 있었다.

→ ☐☐☐

시간

공부 날짜 ☐ 월 ☐ 일

푸는데 걸린 시간 ☐ 분

확인

맞은 개수 써보기

| 독해 | ☐ 개/7개 | 어휘 | ☐ 개/9개 |

8주 | 39회

8주 39회

해설편 20쪽

179

40

  좋아하는 음식을 친구들과 같이 먹으면 두 배 더 맛있는 것 같아요. 여러분은 어떤 음식을 친구들과 함께 나누어 먹고 싶나요?

점수
계산 1. 10점 2. 15점 3. 15점 4. 15점 5. 15점 6. 15점 7. 15점

(가) 달콤하고 조금 매콤하고

콧잔등에 땀이 송골송골

그래도 호호거리며 먹고 싶어.

벌써 입 속에 침이 고이는 걸

'맛있다' ㉠소리까지 함께 삼키면서

단짝끼리 오순도순 함께 먹고 싶어.

(나) 태희가 바꾸어 쓴 시

맵고 맵고 또 매워

이마에서 땀이 뚝뚝

그래도 호호거리며 먹고 싶어.

벌써 입 속에 침이 고이는 걸

'매워' 소리까지 함께 삼키면서

우리 반 친구들과 오순도순 함께 먹고 싶어.

1 어떤 마음을 읊은 시들입니까? ─────────────────────────────── ( )

주제찾기

① 함께 먹고 싶은 마음

② 음식을 만들고 싶은 마음

③ 쉬는 시간에 놀고 싶은 마음

④ 친구들과 다시 만나고 싶은 마음

⑤ 친구들과 여행을 떠나고 싶은 마음

2 글자 수를 맞추어, 시에서 다룬 음식 이름을 쓰세요.

글감찾기

3 (가)와 (나) 모두에 나타난 맛은 무엇입니까? ───────────────── ( )

사실이해

① 달다

② 쓰다

③ 맵다

④ 짜다

⑤ 시다

4 ㉠의 속뜻으로 알맞은 것은 어느 것입니까? ──────────────── ( )

미루어알기

① 서로 눈을 피하면서

② 같이 먹을 친구를 찾으면서

③ 말은 안 하고 더 많이 먹으려고

④ 함께 음식 맛에 흠뻑 빠져들어서

⑤ 먹고 나서 잘 정리하기로 다짐하고서

5

세부내용

사이좋게 어울리는 모양을 흉내 낸 말은 어느 것입니까? ─────── (   )

① 콧잔등

② 송골송골

③ 맵고 맵고

④ 호호거리며

⑤ 오순도순

6

적용하기

시에서 말하는 이와 비슷한 경험을 말한 친구는 누구인가요? ──────── (   )

① 민지: 가족과 여행을 간 즐거운 기억이 있어.

② 인정: 체육 시간에 달리기를 하다가 넘어졌었어.

③ 하은: 친구들과 맛있는 치킨을 먹고 싶다고 생각한 적이 있어.

④ 윤기: 전학 와서 처음 친구들 앞에서 이야기할 때 쑥스러웠어.

⑤ 대인: 책이 재미있어서 시간 가는 줄 모르고 읽었던 적이 있어.

7

요약하기

시에서 말하는 이가 하고 싶은 것을 간추렸습니다. 빈칸을 채우세요.

달콤하고 매콤한 ① ☐☐☐ 를 먹고 싶다.

콧잔등에 ② ☐ 이 맺혀도 호호거리며 먹고 싶다.

단짝끼리 ③ ☐☐☐☐ 함께 먹고 싶다.

어휘 넓히기

뜻 낱말의 뜻풀이로 알맞은 것을 [보기]에서 골라 괄호 안에 기호를 쓰세요.

(1) 매콤하다 (　　　)

(2) 송골송골 (　　　)

(3) 오순도순 (　　　)

[보기]
- ㉠ 땀이나 소름, 물방울 따위가 살갗이나 겉에 잘게 많이 돋아나 있는 모양.
- ㉡ 정답게 이야기하거나 의좋게 지내는 모양.
- ㉢ 냄새나 맛이 약간 맵다.

다지기 아래 문장의 빈칸에 알맞은 낱말을 [보기]에서 찾아 쓰세요.

[보기]
송골송골　　　　매콤　　　　오순도순

(1) 찌개에 고추를 넣었더니 □□하다.

(2) 오랜만에 만난 형제들끼리 □□□□ 이야기를 나누었다.

(3) 아이가 뛰어왔는지 이마에 땀이 □□□□하다.

넓히기 밑줄 친 낱말을 맞춤법에 맞게 고쳐 보세요.

(1) 김치는 조금 <u>메콤</u>하면 더 맛있어.

　→ □□

(2) 친구와 맛있는 걸 먹고 <u>시퍼</u>.

　→ □□

(3) 찌개 냄새를 맡으니 침이 <u>고의는대</u>!

　→ □□□□

시간 공부 날짜 □ 월 □ 일

푸는데 걸린 시간 □ 분

확인 맞은 개수 써보기

독해	□ 개/7개	어휘	□ 개/9개

해설편 20쪽

어휘·어법 총정리 📖 🔍

어휘 보기의 낱말을 보고, 뜻과 어울리는 것을 골라 아래의 빈칸에 써보세요.

보기	산산조각	오순도순	어우러지다	끊임없이	익히다	실감나다

1. 실제로 체험하는 듯한 느낌이 들다.

2. 서투르지 않을 정도로 여러 번 해 보아 솜씨가 있게 하다.

3. 계속하거나 이어져 있던 것이 끊이지 아니하게.

4. 여럿이 조화를 이루거나 섞이다.

5. 아주 잘게 깨어진 여러 조각.

6. 정답게 이야기하거나 의좋게 지내는 모양.

어법 다음 중 맞춤법에 맞는 것을 골라 동그라미 하세요.

1. 하늘에서 [비방울 / 빗방울]이 떨어진다.
2. 동생에게 [자세이 / 자세히] 설명했다.
3. [함불어 / 함부로] 만지면 안 돼.
4. [갖 태어난 / 갓 태어난] 아기들은 참 작다.
5. 친구는 [끊임없이 / 끈힘없이] 말했다.
6. 사실을 알아낸 [것이에요 / 것이예요].
7. 너 때문에 공부가 [안 돼잖아 / 안 되잖아].
8. 선생님께 [이를 거야 / 이를 꺼야].

확인 **나의 점수 확인하기**

어휘	개 / 6개	어법	개 / 8개

평가와 진단하기

1. 각 회차의 유형에 정답을 맞혔으면 'ㅇ'표를 틀렸으면 '×'를 하세요.
2. 제재별 '소계'에 유형별로 맞은('ㅇ'표) 개수를 쓰세요.
3. 영역별로 맞힌 개수를 적고, 부족한 부분을 파악해 보세요.
4. 많이 틀리는 유형이 한눈에 보이므로 자신의 부족한 부분을 진단하고 보완하세요.

영역	회/주차	1번 (주제찾기)	2번 (제목(글감)찾기)	3번 (사실이해)	4번 (미루어알기)	5번 (세부내용)	6번 (적용하기)	7번 (요약하기)
인문 (　) /56개	1/01							
	2/06							
	3/11							
	4/16							
	5/21							
	6/26							
	7/31							
	8/36							
	소계	(　)/8개	(　)/8개	(　)/8개	(　)/8개	(　)/8개	(　)/8개	(　)/8개
사회 (　) /56개	1/02							
	2/07							
	3/12							
	4/17							
	5/22							
	6/27							
	7/32							
	8/37							
	소계	(　)/8개	(　)/8개	(　)/8개	(　)/8개	(　)/8개	(　)/8개	(　)/8개
과학 (　) /56개	1/03							
	2/08							
	3/13							
	4/18							
	5/23							
	6/28							
	7/33							
	8/38							
	소계	(　)/8개	(　)/8개	(　)/8개	(　)/8개	(　)/8개	(　)/8개	(　)/8개

2단계
1, 2학년 대상

독해력 키움

초등국어

7가지 비법으로 체계적인 독해력 향상

7유형 독해법

정답 및 해설

한국학력평가원

1주차

01

푸른숲식물원

1 ①　　　2 푸른숲식물원　　　3 ⑤
4 ③　　　5 ④　　　6 ④
7 ① 오솔길, ② 들꽃, ③ 채소밭

어휘력 키우기

뜻 (1) ㉠　　　(2) ㉢　　　(3) ㉡

다지기 (1) 정원　　　(2) 울창　　　(3) 흔히

넓히기 (1) 오솔길　(2) 맺는　(3) 숲　(4) 흙을

1. '푸른숲식물원'이 어떤 곳이며, 거기에 가면 무엇을 할 수 있는지 소개하고자 한 글이에요. 이런 글을 '안내문'이라고 하지요.

2. 무엇을 답으로 적어야 하는지 물음에 잘 드러나 있어요. 글의 첫 문장과 끝 문장에 각각 한 번씩 나타나 소개할 내용이 무엇인지 알리는 구실을 하는 말이에요.

3. 하나씩 따져 보고 글에 나온 풍경인지 확인해보세요. 푸른숲식물원을 소개하는 글에서 바다는 나오지 않았어요.

4. '이곳'이라고 했으므로 장소를 가리켜요. '이곳'을 품고 있는 문장을 보면, 온갖 꽃이 피어 있는 곳이에요. 바로 앞의 문장에 있지요.

5. 처음에는 나무의 향을 맡으며 걸을 수 있는 길이라고 했어요. 그다음에는 여러 가지 들꽃의 모습과 채소가 자라고 열매 맺는 모습을 볼 수 있다고 했고요. '향'과 '모습'에 의해 아름다운 자연을 소개하고 있네요.

6. 오이, 토마토, 고추, 쑥갓은 사람이 먹는 채소이며, 채송화는 꽃입니다.

7. 푸른숲식물원에서 세 장소에 대해 이야기했지요. 글에서 나타난 낱말을 찾아 쓰면 됩니다.

어휘력 키우기

다지기 (1) 집안에 있는 뜰이나 꽃밭
(2) 무성하다, 우거지다, 빽빽하다와 비슷한 말
(3) 자주 있거나 자주 일어나는 일

넓히기 (1) '오솔낄'로 소리나지만 '오솔길'로 써야 해요.
(2) 맺는(○)
(3) '숩'으로 소리나지만 '숲'으로 써야 해요.
(4) '흘글'로 소리나지만 '흙을'로 써야 해요.

02

떡 이름

1 떡 이름　　　2 ②　　　3 ④　　　4 ⑤
5 ③　　　6 ⑤
7 ① 부꾸미, ② 무지개떡, ③ 개떡, ④ 건강, ⑤ 나쁜 기운

어휘력 키우기

뜻 (1) ㉡　　　(2) ㉠　　　(3) ㉢

다지기 (1) 지지다　　　(2) 두르다　　　(3) 맞이하다

넓히기 (1) 했단다　　　(2) 있어　　　(3) 옆집

1. 글감을 첫머리에 소개해 놓고, 어디에 초점을 맞추었는지 글의 끝에 알게 했어요. 어머니가 딸에게 '토박이말로 된 재미있는 떡 이름'을 설명한 글이에요.

2. 글의 내용을 간추리면서 글감을 떠올려 보세요. 다섯 가지 떡 이름을 글감으로 삼고 있어요.

3. 우리가 흔히 먹는 떡이라서 글에 있을 것 같은데 읽어 보면 안 나타나요. '인절미'도 떡 이름이지만 글에는 나타나지 않아요.

4. 다섯 항목을 순서대로 따져 보세요. 글에 있는 어떤 부분에서 떠올릴 수 있는 내용인지 따져야 하거든요. '수수경단에는 콩가루나 팥이 묻어 있는데, 이는 나쁜 기운을 물리치려는 뜻이 담겨 있단다.'라는 구절에서 새롭게 떠올릴 수 있는 내용을 따져 보세요. 콩가루의 노란 색, 팥의 붉은 색이 나쁜 기운을 물리칠 수 있다고 믿은 것이지요.

① 동생이 떡을 좋아했음은 알 수 있지만 '나'는 어떤지 알 수 없습니다. ② '무지개떡'은 여러 가지 색깔을 넣어 만들어서 그런 이름이 붙었고, 개떡은 모양을 아무렇게나 만들어서 그렇게 이름이 붙었습니다. 둘은 종류가 서로 다른 떡이에요. ③ '백일'은 태어나서 백일 되는 날입니다. 보통 돌잔치보다 작게 백일잔치를 합니다. ④ 백설기에 아기의 마음과 관련되는 설명은 글에 보이지 않습니다.

5. 떡에 관한 이야기가 아니라, 떡을 어떻게 만드는지 알 수 있도록 설명한 것이어야 해요.

6. 모양을 아무렇게나 만드는 '개떡'이 아닌 것을 골라야 해요. '무지개떡'은 무지개처럼 여러 빛깔을 넣어서 만든 떡이지요.

7. 글에 나오는 떡 이름과 돌에 어떤 떡을 먹는지 찾아보세요.

어휘력 키우기

다지기 (1) 노릇하게 불에 지진다.
(2) 기름을 두르고 요리하다.
(3) 손님을 문 앞에서 마중하다.

넓히기 (1) 동생이 좋아하는 떡을 많이 하였단다를 줄인 것
(2) '있다'는 벗어나지 않고 머물다는 뜻이고, '잇다'는 두 끝을 맞대어 붙이다는 뜻입니다.
(3) '옆'+'집' → 옆집

03 날씨는 변덕쟁이

1 ③   2 날씨   3 ⑤   4 ④
5 ①   6 ④
7 ① 바람, ② 구름, ③ 비, ④ 무지개

어휘력 키우기

뜻 (1) ㉠   (2) ㉢   (3) ㉡

다지기 (1) 공중   (2) 이리저리   (3) 푹신푹신

넓히기 (1) 최고   (2) 퍼져요   (3) 개구쟁이

1. 순서대로 읽어 보면, 내용이 여러 번 바뀌어요. 우리 주변에서 볼 수 있는 여러 가지 모습을 늘여가면서 설명하느라 그렇게 된 거예요.

2. 전체의 글감이라고 할 수 있는 낱말이 직접 나오지는 않아요. 작은 글감들을 다 품을 수 있는 낱말을 스스로 생각해내어야 해요.

3. 차례대로 견주어 보아서 글에 나오지 않은 것을 찾아보세요. 겨울과 관련되는 날씨 현상은 설명하지 않았어요.

4. 글의 어떤 부분에 전기라는 낱말이 나오는지 찾아가서 해결하세요. 글에서 "으악, 하늘에 전기가 올랐나 봐."라는 구절 다음에 번개와 천둥에 관한 설명이 나오고 있어요.

5. ㉠은 '땅에 붙어 있지 않고 하늘이나 공중으로 올라가다.'라는 뜻이에요.
   ② '감았던 눈을 벌리다.'
   ③ '다른 곳으로 가기 위하여 있던 곳에서 다른 곳으로 떠나다.'
   ④ '누룩이나 메주 따위가 발효하다.'
   ⑤ '어떤 곳에 담겨 있는 물건을 퍼내거나 덜어 내다.'라는 뜻이에요.

6. 빗물로 벼를 심어 키우는 논이므로 비가 많이 내리는 곳이어야 하겠네요.

7. 날씨가 여러 가지 모습으로 변했네요. 날씨의 흐름을 따라가며 빈칸을 채워 보세요.

어휘력 키우기

다지기 (1) 새가 날아다니는 곳은 공중이지요.
   (2) 꿀벌이 어떻게 날아다니고 있나요.
   (3) 편하게 앉으려면 의자가 푹신푹신 해야겠지요.

넓히기 (1) 가장 좋다는 뜻으로 쓰였어요.
   (2) 퍼져나간다는 뜻입니다.
   (3) '-장이'는 어떤 것과 관련된 기술을 가진 사람, '-쟁이'는 어떤 일을 직업으로 하는 사람, 또는 어떤 속성을 많이 가진 사람이라는 뜻을 더할 때 쓰는 말입니다.

04 동물 마을에서 생긴 일

1 ①   2 동물 마을   3 ④   4 ②
5 ④   6 ⑤   7 ① 찻길, ② 안전, ③ 고민

어휘력 키우기

뜻 (1) ㉢   (2) ㉡   (3) ㉠

다지기 (1) 한숨   (2) 훌쩍이는   (3) 휩쓸려서

넓히기 (1) 평화롭던   (2) 빠졌어요   (3) 헤어진

1. 큰 걱정거리나 고민거리가 된다면 아주 중요한 사건이 되겠죠. 동물들을 걱정하게 하고 고민에 빠뜨린 사건을 찾아봐요.

2. 네 칸을 채울 수 있는 낱말을 글에서 찾아봐요.

3. 이야기의 처음부터 차례대로 등장하는 동물을 짚어보세요.

4. 어떤 마음을 짐작할 수 있는 말인지 곰곰이 생각해 봐요. 고라니가 '한숨을 푹 쉬며'에서 해결할 수 없는 일이 생겨서 고민에 빠져있는 마음을 짐작할 수 있죠.
   ① 무엇을 위해 행동했는지를 말해 줍니다.
   ③, ④ 한 일을 그대로 전합니다.
   ⑤ 어떤 일이 일어날 수 있는지 알려 줍니다.

5. ㉠의 바람은 (찻길이 생기는 것이) '원인이 되어'라는 뜻입니다. '바람'을 꾸며 주는 말이 어떤 일이 일어난 원인의 뜻이 되도록 합니다.
   ①, ②, ⑤는 공기의 흐름, ③은 '어떤 일이 이루어지기를 기다리는 간절한 마음'입니다.
   ④ 에서 지각한 일의 원인은 늦잠이지요.

6. 동물들을 고민에 빠뜨린 까닭을 따져 보아요. 숲 한가운데 넓은 찻길이 생겨서 마을 밖으로 나가는 길이 끊겨 버렸기 때문이지요. 그렇다면 안전하게 건널 수 있는 길을 만들어주면 되겠네요.

7. 이야기의 첫머리에 어떤 사건이 일어났고, 동물들이 그것에 대해 대화를 주고 받았지요. 마지막에는 동물들의 고민이 나오네요.

어휘력 키우기

다지기 (1) 근심이나 걱정으로 한숨을 쉬다
   (2) 슬퍼서 콧물을 훌쩍이며 우는 소리
   (3) 배가 소용돌이에 휩쓸려 들어가는 모습

넓히기 (1) 평온하고 화목한 것을 '평화롭다'고 해요
   (2) 빠지었어요 → 빠졌어요로 줄어서 된 말이예요
   (3) 헤어지다 → 따로따로 흩어지다, 갈라지다

05 잠자는 사자

본문 26쪽

1 ③	2 사자	3 으르릉 드르렁
4 ③	5 ①	6 ②

7 ① 사자, ② 생쥐

어휘력 키우기

뜻 (1) ㉡　　　(2) ㉢　　　(3) ㉠

다지기 (1) 벗기려고　　(2) 울부짖는　　(3) 살금살금

넓히기 (1) 울부짖고　　(2) 벗겨　　　(3) 콧속에서

1. 아이의 마음이 알아낼 수 있는 부분을 찾아야 해요. 이 시에서는 세 번째 토막(3연)에서 아이의 마음을 알아낼 수 있어요.

2. 2연에 나와요. 빈칸의 수에 맞추어 알맞은 낱말을 채우세요.

3. 아버지의 코고는 소리를 사자가 '으르릉 드르렁 드르르르 푸우'하며 우는 것처럼 표현했어요.

4. 큰 소리로 코를 골고 자는 데서 알 수 있어요.

5. 시에는 코 고는 소리를 흉내 낸 말이 나와요. 흉내 소리가 실감을 높이는 방법이라는 것을 기억해 두세요.

6. 주무시는 아버지, 양말을 벗겨 드리려는 아이의 모습 등이 장면으로 그려지고 있어요.

7. 시에서 아버지의 코 고는 소리는 사자의 울음소리에, 살금살금 양말을 벗기는 나의 모습은 생쥐에 빗대었지요.

어휘력 키우기

다지기 (1) 모자를 떼어 내려고 다가오는 걸 눈치챔

(2) 늑대가 소리내어 울며 부르짖는 소리

(3) 살며시 행동하는 모양

넓히기 (1) '울다' + '부르짖다'가 합쳐진 말이에요

(2) '벗기어' → '벗겨'로 줄어든 말입니다.

(3) 코의 속 - 콧속

어휘·어법 총정리

1주차
본문 30쪽

어휘
1 정원	2 공중
3 한숨	4 살금살금
5 벗기다	6 훌쩍이다

어법
1 오솔길	2 퍼져요
3 최고	4 평화롭던
5 울부짖고	6 빠졌어요
7 무지개떡	8 옆집

2주차

06 소개하기

본문 32쪽

1 ①	2 짝	3 ③	4 ④
5 ④	6 ①	7 ① 달리기, ② 노래, ③ 책	

어휘력 키우기

뜻 (1) ㉡　　　(2) ㉢　　　(3) ㉠

다지기 (1) 어울려　　(2) 까닭을　　(3) 늠름한

넓히기 (1) 착합니다　(2) 늠름해요　(3) 모둠 활동

1. 글에서, 주제는 여러 번에 걸쳐 거듭 설명한 내용이에요. 세 사람이 이번 달에 짝이 된 친구를 거듭해서 소개하고 있어요.

2. 이 말이 가장 자주 나타났어요.

3. 김태원, 조현정, 박대현을 소개한 사람들이 모두 이달에 짝이 되었기 때문에 소개한다고 까닭을 말했지요.

4. 소개하는 글을 읽고 떠올릴 수 있는 생각들입니다. 하지만 ④ 이름과 마음씨의 관계는 이 글로는 알 수 없어요.

① 현정이는 얼굴이 둥글고 항상 웃습니다.

② 태원이는 달리기를 잘합니다.

③ 태원이는 남자아이입니다.

⑤ 이미 알고 있으면 굳이 다시 소개할 필요가 없지요.

5. '수업 시간에 항상 열심히 공부하고 선생님께 칭찬을 많이 받는 현정이가 부럽습니다.'라고 할 때, '부럽습니다.'는 말하는 사람이 현정이를 본받고 싶다는 마음을 드러낸 것이에요.

6. 아버지가 남자인 것은 모두가 아는 사실이므로 굳이 설명할 필요가 없겠지요.

7. 세 친구에 대해 설명한 부분을 잘 살펴보고 빈칸에 잘하는 것이나 좋아하는 것을 채워 보세요.

어휘력 키우기

다지기 (1) 한데 섞여 어우러져 사는 대가족이다.

(2) 늦게 온 원인(이유)를 나는 안다.

(3) 친구의 태도가 의젓하고 당당하여 보기 좋다.

넓히기 (1) 착합니다(×), 착합니다(○)

(2) 늠늠하다(×), 늠름하다(○)

(3) '모둠'은 '모두다'에서 온 말 → '모둠'+'활동'

07 낱말을 바르고 정확하게 쓰기

1 ④　　　　2 낱말　　　3 ⑤　　　　4 ③
5 ⊙ 다른, ⓒ 틀린　　　6 ①
7 ① 소리, ② 소리, ③ 뜻

어휘력 키우기

뜻 (1) ⓒ　　　(2) ⓒ　　　(3) ⊙

다지기 (1) 전달됐다　(2) 구분해서　(3) 마땅하다

넓히기 (1) 어떻게　　(2) 습관적　　(3) 낱말을

1. 글의 첫 문단 끝 문장에서 무엇을 중심 내용으로 삼을지 분명하게 밝혔어요. '어떻게 해야 바르고 정확하게 낱말을 사용할 수 있을까요?'라고 했으니 중심 내용을 떠올릴 수 있죠.

2. 한 개의 낱말로 쓰라고 했어요. 글에서 반복하여 나타난 낱말을 찾아보세요.

3. 일컫는 이름이 글에 나와요. 글의 첫 문장에 고스란히 나오네요.

4. 둘째 문단을 보고 풀어보세요. '다치다'와 '닫히다'는 소리가 같지만 뜻이 다르기 때문에 구분하여 써야 하는 낱말의 짝이었지요. 이와 같은 까닭으로, '마치다'와 '맞히다'는 소리가 같지만 뜻이 다르기 때문에 구분하여 사용하여야 해요. '마치다'는 '시작하다'의 반대말이고, '맞히다'는 '틀리다'의 반대말이에요. ① 두 낱말이 소리도 서로 다르고 뜻도 달라요. ② '날리다'는 '날도록 하다'라는 뜻이어서 '날다'와 구분되어요. ④ '세워지다'는 '세우다'보다 소리마디가 하나 많아서 둘의 소리는 서로 다르며, 뜻도 다릅니다. ⑤ 두 낱말의 소리와 뜻이 모두 다릅니다.

5. '다르다'는 '둘이 서로 차이가 난다.'라는 뜻이고, '틀리다'는 '정답이 아니다.'라고 바로 앞 문장에서 설명하였어요.

6. 우리나라 사람들이 가장 잘 틀리는 표현 중의 하나를 확인하고자 한 물음이에요. 생각이 '달라'로 써야 바른 표현이죠. 짝과 생각에서 차이가 있다고 하는 뜻을 표현하고자 한 것이기 때문이에요.

7. 2~3문단은 문장에서 낱말을 잘 사용하는 방법 두 가지에 대해 안내하고 있어요. 빈칸에 들어갈 말을 찾아 쓰세요.

어휘력 키우기

다지기 (1) 전하여 줄 사람이 아닌 엉뚱한 곳에 택배를 전했다.
　　(2) 일정한 기준에 따라 구분해서 정리한다.
　　(3) 잘못해놓고 반성하지 않는다면 비난을 받겠지요.

넓히기 (1) '어떠케'로 소리나지만 '어떻게'를 써야합니다.
　　(2) 오랫동안 되풀이하는 과정에서 버릇처럼 익혀진 방식 → 습관
　　(3) '난말'로 소리나지만 '낱말'로 써야 해요.

08 숲속의 멋쟁이 곤충

1 ⑤　　　　2 수컷 사슴벌레　　　3 ①
4 ④　　　　5 ③　　　　6 ①
7 ① 턱, ② 나뭇진, ③ 힘겨루기

어휘력 키우기

뜻 (1) ⓒ　　　(2) ⓒ　　　(3) ⊙

다지기 (1) 껍데기　(2) 껍질　　(3) 핥고

넓히기 (1) 같이　　(2) 껍데기　(3) 띄는

1. 글에서 자세히 설명하고 있는 것은, 수컷 사슴벌레의 생김새, 먹이 활동, 힘겨루기 등이죠. 이런 내용과 관계가 깊은 것을 찾아보세요.

2. 물음에 있는 빈칸의 수를 세어본 뒤에, 글에서 글감을 찾아요.

3. 글에서 수컷 사슴벌레의 생김새를 설명한 부분을 먼저 찾아가요. 글의 첫머리부터 반복하여 생김새의 특징이 무엇인지 말해 주고 있지요.

4. 생김새의 특징으로 큰 턱을 말한 다음 먹이 활동을 설명하고 있기 때문에 큰 턱을 먹이를 찾을 때 사용한다고 생각해서는 안 되어요. 글의 뒷부분을 보면 다른 사슴벌레와 힘겨루기 할 때 사용한다는 사실을 알 수 있어요.

5. '한쪽으로 세게 밀다.'라고 할 때는, '밀어붙이다'라고 해요.

6. 수컷 사슴벌레에서 가장 먼저 눈에 띄는 것은 큰 턱이고, 이 턱으로 힘겨루기를 한다고 했어요. 사슴도 눈에 가장 먼저 띄는 것도 뿔이고 힘겨루기도 이 뿔로 하지요.

7. 이 글은 수컷 사슴벌레의 생김새, 먹이, 생활 모습에 대해 설명한 글이에요. 빈칸에 들어갈 말을 채워 보세요.

어휘력 키우기

다지기 (1) 돌에 다닥다닥 붙은 것은 단단한 굴껍데기
　　(2) 귤의 겉을 싸고 있는 단단하지 않은 물질
　　(3) 강아지가 주인의 손을 핥고 있다.

넓히기 (1) '함께'라는 뜻 → 같이, 값어치의 뜻 → 가치
　　(2) 껍대기(×), 껍데기(○)
　　(3) 눈에 띄는(○)

09 이름 짓기 가족회의

본문 44쪽

1 ⑤　　2 방울토마토　3 한영, 두영, 세영
4 ④　　5 ①　　6 ④
7 ① 방울토마토, ② 이름

어휘력 키우기

뜻 (1) ⓒ　　(2) ⓒ　　(3) ㉠

다지기 (1) 털어놓으니　(2) 건성으로　(3) 토실토실

넓히기 (1) 제법　(2) 외롭거든　(3) 매달렸다

---

1. 이야기가 어떻게 시작하여 어떻게 마무리되었는지 새겨보세요. 방울토마토 이름 짓기를 둘러싼 일과 그 일을 겪는 아영이의 마음이 어떻게 변해갔는지를 이야기로 엮었죠.

2. 아영이가 학교에서 친구들이랑, 집에서 가족이랑 이야기를 펼칠 수 있도록 한 물건이 무엇이었죠?

3. 방울토마토 삼 형제의 이름을 본문 마지막 부분에서 찾아보세요.

4. ㉠ 대신에 넣어서 알맞은 것을 골라보세요.
   바로 앞에 나오는 아영이의 긴 말을 바탕으로 하여 속뜻을 떠올려 보아야 해요.
   아영이가 앞에서 '슬프다', '외롭다'고 하였어요. 그런 '슬프고 외로운' 마음이 조금 풀리는 것 같다고 하였지요.
   나머지는 전체 내용과 맞아떨어지지 않습니다.

5. 이야기에 가장 자주 나오면서 이야기를 이끌어가는 사람이 주인공이에요. 주인공을 찾아보라는 거예요.

6. '다음의 경우'를 스스로 머릿속에 떠올려 봐요. '섭섭하다', '서운하다'를 떠올릴 수 있죠.

7. 이야기의 흐름에 따라 빈칸을 채워 보세요.

어휘력 키우기

다지기 (1) 속마음을 숨김없이 말하다.
(2) 성의 없이 대충 손을 씻는 흉내만 낸다.
(3) 살이 통통하게 찐 모양

넓히기 (1) 제법 → 솜씨가 어느 정도에 이르렀음을 나타내는 말
(2) 외롭거든(○)
(3) 매달렸다(○)

---

10 숨바꼭질하며

본문 48쪽

1 ⑤　　2 숨바꼭질　3 ①　　4 ②
5 ⑤　　6 ④　　7 꼭꼭 숨어라

어휘력 키우기

뜻 (1) ⓒ　　(2) ⓒ　　(3) ㉠

다지기 (1) 대문　(2) 옷자락　(3) 꼭꼭

넓히기 (1) 발뒤꿈치　(2) 앉아서도　(3) 머리카락

---

1. 말하는 사람이 무엇을 말하는지 천천히 살펴보아요. 술래가 숨으라고 하고 숨은 사람을 찾아가는 모습을 그리고 있어요.

2. 시에 그 낱말이 나오지 않았지만 해 본 놀이니까 이름을 알 수 있을 거예요. 맞춤법에 주의하여 써 보세요.

3. 네 번 나와서 가장 여러 번 나타난 말이에요.

4. 나는 이럴 때 어떤 마음일지 마음속에 떠올려 봐요. 친구들을 찾을 수 없어 답답하겠지요.
   ①, ④, ⑤ 숨어 있는 사람이 가질 수 있는 마음입니다.
   ③ 시에서는 찾기 어렵습니다.

5. 시를 처음부터 따라가면서 움직임을 나타낸 말을 살펴보세요. '숨다'가 가장 먼저 나타나고, '찾다'가 가장 나중에 나타납니다.

6. 자신의 몸집보다 큰 물건 뒤에 숨어야 술래 몰래 몸을 숨길 수 있겠지요.

7. 술래가 한 말 중에서 빈칸에 들어갈 말을 찾아 채워 보세요.

어휘력 키우기

다지기 (1) 자물쇠를 잠그는 큰 문은 대문이지요.
(2) 어머니의 옷의 아래로 드러난 부분을 붙잡고 떼를 쓴다.
(3) 너무 창피하고 화가나서 깊숙이 숨어버리고 싶었다.

넓히기 (1) 발뒤꿈치(○)
(2) '안자서도'로 읽히지만 '앉아서도'로 써야 합니다.
(3) 머리카락(○)

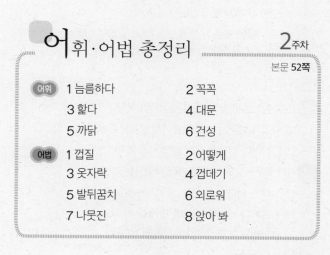

어휘·어법 총정리

2주차
본문 52쪽

어휘 1 늠름하다　　2 꼭꼭
3 핥다　　4 대문
5 까닭　　6 건성

어법 1 껍질　　2 어떻게
3 옷자락　　4 껍데기
5 발뒤꿈치　　6 외로워
7 나뭇진　　8 앉아 봐

3주차

11

본문 54쪽

말놀이

1 ⑤   2 말놀이   3 ⑤   4 ④
5 ②   6 ⑤
7 ① 끝말잇기, ② 숫자놀이, ③ 스무고개

어휘력 키우기

뜻 (1) ㉢   (2) ㉡   (3) ㉠

다지기 (1) 알아차리고   (2) 접촉   (3) 방식

넓히기 (1) 단계   (2) 되고   (3) 가리키며

1. 이 글은 글감을 자세히 설명하기 위해 여러 문단으로 나누어 내용을 펼쳤어요. 중심 내용은 여러 문단의 내용을 한꺼번에 아우를 수 있는 말을 스스로 떠올려 보아야 알 수 있어요.

2. 글감을 글의 첫머리에 드러내었네요. 그 낱말을 글에서 반복하는지만 확인하면 되겠어요.

3. 어떤 문단에 나온 말놀이인지 하나하나 순서대로 확인해보세요. '글자 카드 찾기'는 여러 이름을 써 놓은 카드 중에서 찾으라고 하는 것을 찾도록 하는 놀이예요. 글자를 처음 배우는 아이들에게 알맞은 놀이인데 글에서는 나오지 않았죠.

4. 우리말에서 시작하는 소리로 삼기가 어려운 것을 찾아보세요. 우리말에는 '르'로 시작하는 말을 찾기가 매우 어렵죠.

5. ㉠의 앞과 뒤의 내용을 살펴보면, 앞에 나온 말의 뜻을 간추리면서 이어가는 말이 와야 하죠.

6. 글의 내용을 따르면, 숫자놀이이므로 '다섯'이라는 낱말이 답에 반드시 들어가야 해요.
   ① '하나는 뭐니?'에 대한 답입니다.
   ② '둘은 뭐니?'에 대한 답입니다.
   ③ '셋은 뭐니?'에 대한 답입니다.
   ④ '넷은 뭐니?'에 대한 답입니다.

7. 문단별로 나타난 말놀이 종류가 달라요. 말놀이 이름이 나온 부분을 잘 찾아 빈칸을 채워 보세요.

어휘력 키우기

다지기 (1) 수상한 사람을 알고 정신을 차려 깨달아 경찰에 신고했다.
   (2) 아기와 엄마는 서로 맞붙어서 닿음으로 사랑을 느낍니다.
   (3) 나라마다 일정한 생활 방법이나, 형식이 있다.

넓히기 (1) '단계' → 일의 차례를 따라 나아가는 과정
   (2) 되다 → 되고
   (3) 가르치다 → 깨닫게 하다, 알게하다
      가리키다 → 손가락으로 방향을 알리다.

12

본문 58쪽

안전한 우리집

1 ①   2 안전   3 ①   4 ③
5 ③   6 ④
7 ① 안전 창살, ② 보호대, ③ 보호 뚜껑, ④ 잠금장치, ⑤ 바닥, ⑥ 약

어휘력 키우기

뜻 (1) ㉠   (2) ㉢   (3) ㉡

다지기 (1) 딛고   (2) 닿는   (3) 데어

넓히기 (1) 알아봐요   (2) 데지   (3) 닿지

1. 글의 첫머리에 무엇을 중심 내용으로 삼을지 말했어요. 이어지는 여러 문단에서 집에서 안전하게 생활하기 위해 무엇을 해야 하는지 하나하나 늘어놓으면서 구체적으로 말했어요.

2. 글에 여러 번 나온 '안전'이라는 낱말을 반드시 넣어서 제목을 붙여야겠죠.

3. 글의 2문단부터 안전장치가 나오고 있으니까 2문단에서 찾아야겠네요.

4. 2문단을 보면, '창문 밖으로 몸을 내밀지 않도록 해요.'는 어린이가 읽어야 할 내용이고, '떨어질 수도 있으므로 창문 밑이나 베란다 옆에는 딛고 올라갈 수 있는 물건을 놓지 않고, 안전 창살을 해 놓도록 합니다.'는 부모님이 읽어야 할 내용이에요. 모든 문단이 이런 방식으로 짜여 있어요.

5. 글에서, '콘센트에 손가락이나 쇠꼬챙이 등을 넣으면 감전되어 위험에 빠질 수 있다. 이를 방지하기 위해 보호 뚜껑으로 콘센트를 막아둔다.'라고 했어요.
   ① '창문'은 밖으로 몸을 내밀 때 위험해질 수 있습니다.
   ② '모서리'에 부딪치면 다칠 수 있습니다.
   ④ 전선이 바닥에 널려 있으면 걸려 넘어질 수 있습니다.
   ⑤ 밥솥의 김에 델 수 있습니다.

6. 유리병을 잘못 다루다가 깨뜨리면 깨진 조각에 다칠 위험이 있으므로 안전한 곳에 두어야 겠지요.

7. 여러 상황에서 해야 할 일이 많이 나와 있어요. 상황별로 해야 할 일들을 찾아 빈칸을 채워 보세요.

어휘력 키우기

다지기 (1) 맨발로 땅을 디디고 뛰었다.
   (2) 발에 맞닿은 흙이 보드랍게 느껴진다.
   (3) 뜨거운 데 닿아 살이 상처를 입었다.

넓히기 (1) '알아봐요'는 '알아보아요'가 줄어서 된 말
   (2) '데다' → 뜨거운 것에 닿아 살이 상하다.
   (3) '닿다' → 다른 물체에 맞붙다. 어떤 곳에 이르다.

13 태양

1 ⑤	2 태양	3 ⑤	4 ③
5 ②	6 ③	7 ① 에너지, ② 햇빛	

어휘력 키우기

뜻 (1) ⓒ (2) ㉠ (3) ㉡

다지기 (1) 너머 (2) 비롯된 (3) 밀도

넓히기 (1) 그렇지 (2) 이루어져 (3) 뚫고

1. 글 전체 내용을 간추려 보면, 태양이 별로서 어떤 특징이 있으며, 다른 별에 어떤 영향을 미치는지 설명하고 있는 글이에요.

2. 글감은 대개 글 첫머리에 나온다고 했죠. 그 아래에 여러 번 다시 나와요.

3. 글의 내용과 견주어가면서 어떻게 어긋나는지 차근차근 따져야 합니다. ⑤ 에너지가 수천, 수만 년 지나서 지구에 도달한다고 한 내용과 어긋나네요.

4. 글을 읽고, 글의 마지막 두 문장에서 알 수 있는 내용을 찾아보세요.
① 캄캄한 가운데서 별은 빛납니다.
② 지구가 태양의 주위를 도는 것이지만 이에 대해서는 글에 나오지 않습니다.
④ 태양이 우주의 여러 별들 가운데 크기나 온도로 보아 그다지 특별하지 않다고 했습니다.
⑤ 태양 에너지는 빛으로 바뀌어 지구를 비롯한 여러 별에 전해진다고 나와 있습니다.

5. 글에 나온 낱말 중에서 찾아야 해요. 태양에서 만들어진 에너지가 빛으로 바뀌어서 생명체를 살린다고 했죠. 그 빛의 이름은 햇빛이고요.

6. 생명체가 살기에 적당한 햇빛이 필요하다고 마지막 문단에 나와 있어요.

7. 어려운 낱말이 많아 이해하기 어려웠나요? 그래도 천천히 글을 읽어보고 중요한 낱말을 찾아보세요. 찾았다면 빈칸을 채울 수 있답니다.

어휘력 키우기

다지기 (1) 저 산 가로막힌 뒤에는 뭐가 있을까
(2) 싸움은 아주 사소한 오해에서 시작되었다.
(3) 서울은 사람이 아주 빽빽하게 많다.

넓히기 (1) '그러치'로 소리나지만 '그렇지'로 써야 해요.
(2) '이루어저'로 소리나지만 '이루어져'로 써야 해요.
(3) 뚫다 → 구멍을 내다, 막힌 것을 통하게 하다.

---

14 양치기 소년

1 ⑤	2 양치기 소년	3 ④
4 ①	5 ②	6 ③	7 거짓말

어휘력 키우기

뜻 (1) ⓒ (2) ㉠ (3) ㉡

다지기 (1) 그제야 (2) 지루한 (3) 뉘우쳐

넓히기 (1) 떼 (2) 심심해서 (3) 곡괭이

1. 옛날부터 전하는 이야기에는 가르침이 중심 내용인 것이 많아요. 누구라도 저지를 수 있는 잘못을 잘 살피라는 가르침이 많아요.

2. 글에 고스란히 나온 이름이에요. 빈칸의 수도 잘 세어보고 답을 찾아보세요.

3. 이야기의 끝에 나온 일이 무엇이었는지 쉽게 알 수 있죠.

4. 글을 읽어 보면, 양치기 소년은 혼자 양 떼를 지키고 있었습니다. ② 마을의 어른인 촌장님이 사람들을 모으기 위해 종을 친다고 했습니다. ③ 세 번이나 소리를 질렀습니다.④ 늑대를 쫓기 위해 마을 사람들이 언덕으로 달려갔지요. ⑤ 마지막 장면입니다.

5. '다음 날'이라고 했으니까, 시간과 관련되는 내용이죠? 이야기가 일어나는 시간이나 장소가 바뀌면 일어나는 일도 바뀌어요.

6. ③은 '형편이나 사정이 전에 비하여 나아진 사람이 지난날 어렵던 때의 일을 생각지 아니하고 처음부터 잘난 듯이 뽐냄을 빗대어 이르는 말.'입니다. 거짓말을 안 하기로 다짐한 양치기 소년에게 할 말로는 어울리지 않습니다.
①은 '거짓말은 금방 들통이 나게 마련이라는 말.'입니다.
② '어릴 때 몸에 밴 버릇은 쉽게 고쳐지지 않는다는 뜻으로, 어릴 때부터 나쁜 버릇이 들지 않도록 잘 가르쳐야 함을 빗대어 이르는 말.'입니다.
④는 '소를 도둑맞은 다음에서야 빈 외양간의 허물어진 데를 고치느라 수선을 떤다는 뜻으로, 일이 이미 잘못된 뒤에는 손을 써도 소용이 없음을 비꼬는 말.'입니다.
⑤는 '아무리 사실대로 말하여도 믿지 아니함을 빗대어 이르는 말.'입니다. 원래 콩으로 메주를 쑤는 건데 그것도 믿지 않는다는 것이지요.

7. 이 이야기에서 양치기 소년이 가장 많이 한 것을 생각해 보세요.

어휘력 키우기

다지기 (1) 그때서야 비로소 나를 바라보았다.
(2) 따분하고 싫증이나 하품이 나왔다.
(3) 잘못을 깨달아 반성하는 마음이 깊이 들었다.

넓히기 (1) 때 → 시간, 떼 → 여러 마리
(2) 심심하다 → 심심해
(3) 곡괭이 → 좁고 갸름하게 생긴 괭이

15

본문 70쪽

나물 노래

1 ①　　2 나물　　3 ⑤　　4 ③
5 ②　　6 ⑤　　7 ① 봄, ② 나물, ③ 나물

어휘력 키우기

뜻　(1) ⓛ　　(2) ㉠　　(3) ⓒ
다지기　(1) 쑥쑥　　(2) 질겅질겅　　(3) 말랑말랑
넓히기　(1) 뽑아　　(2) 참기름에　　(3) 캐고

1. 여러 가지 봄나물이 나오는 것으로 보아 알 수 있어요. 나물은 주로 들에서 캐어요.

2. 뜻으로 보았을 때, 다른 것들을 모두 품을 수 있는 낱말이어야 해요.

3. 시를 잘 살펴보면 알 수 있어요. '꼬불꼬불 고사리'라고 2연 끄트머리에 나오네요.

4. 땅에서 시원스럽게 뽑는다는 뜻을 말한 곳을 찾아가 보세요.
   ① 들에서 난다고 지어진 이름이에요. ② 봄에 나는 냉이라고 지은 이름이에요. ④ 참기름에 무쳐 먹는다고 지은 이름이에요. ⑤ 말랑말랑해서 붙인 이름이에요.

5. 잘 살펴보면, 세 묶음(3연)으로 되어 있고, 각 묶음은 세 줄씩으로 되어 있어요. 그리고 모든 줄의 글자 수가 7개로 되어 있어요.

6. 솔직한 생각과 느낌을 잘 드러내도록 하는 것이 중요해요.

7. 시에서는 나물 이름이 어떻게 붙었는지 자세히 나와 있어요. 빈칸에 들어갈 적절한 낱말을 찾아보세요.

어휘력 키우기

다지기　(1) 정원의 잡초를 자꾸 뽑아 내는 모습을 생각해 보아요.
(2) 껌을 씹는 모양을 생각해 보아요.
(3) 찹쌀떡은 말랑말랑하지요.

넓히기　(1) '뽀바'로 소리나지만 '뽑아'로 써야 해요.
(2) '참기르메'로 소리나지만 '참기름에'로 써야 해요.
(3) 캐다 → 드러나지 않은 사실을 밝히다, 파서 꺼내다.

어휘·어법 총정리

3주차 / 본문 74쪽

어휘　1 접촉　　2 딛다
3 비교하다　　4 뉘우치다
5 지루하다　　6 쑥쑥

어법　1 끝말잇기　　2 맞혀 봐
3 밥솥에　　4 너머
5 햇빛　　6 나타났다
7 곡괭이　　8 양 떼

4주차

16

본문 76쪽

편지 쓰기

1 ②　　2 편지　　3 ⑤　　4 ③
5 있어서　　6 ⑤　　7 ① 첫인사, ② 목적, ③ 날짜

어휘력 키우기

뜻　(1) ⓒ　　(2) ⓛ　　(3) ㉠
다지기　(1) 안부　　(2) 호칭　　(3) 용건
넓히기　(1) 솔직하게　　(2) 좋아요　　(3) 드러났다

1. 앞에 그림을 곁들여 설명한 내용은 편지의 짜임새이죠. 뒤에 이어진 내용은 편지 쓸 때 무엇에 주의하여 어떻게 쓰는지 자세히 설명하고 있어요.

2. 가장 자주 등장한 낱말이 '편지'이지요.

3. 글을 다 읽어 보아도 편지가 얼마나 길어야 하는지에 대한 설명은 보이지 않아요.

4. 읽은 글의 내용에 따르면, 글로 쓴 것은 상대에게 전하기 전에 미리 고치고 정리할 수 있죠.
   ① 대화도 말이어서 한 번 하고 나면 미리 정리할 수 없습니다.
   ② 이야기는 한 번 하고 나면 고치기 어렵습니다.
   ④ 예의와 격식은 편지가 갖추어야 할 조건입니다.
   ⑤ 말은 어떤 종류이든 미리 정리하기 어렵습니다.

5. '있어서'를 소리 나는 대로 쓰면 [이써서]가 됩니다.

6. 편지는 상대에게 직접 이야기하듯이 쓰는 것이라 했어요. 어떤 사람을 만나 처음에 꺼내서 어울리지 않는 것을 골라보세요. '그럼 또 봐'는 끝맺음의 인사입니다.
   ① 첫 번째 인사 ② 계절 인사 ③ 상대 안부 ④ 자기 안부이지요.

7. 글 처음에 편지의 형식이 자세히 나와 있어요. 빈칸에 들어갈 말을 찾아 넣어 보세요.

어휘력 키우기

다지기　(1) 할머니께서 편안하신지 안부를 묻는다는 뜻
(2) 선생님이라 불리는 것이 어색했다는 뜻
(3) 전화로 하고 싶은 말만 간단히 말했다는 뜻

넓히기　(1) 솔직하다(○), 솔찍하다(×)
(2) '조아요'로 소리나도 '좋아요'로 써야 해요.
(3) 드러나다 → 보이지 않던 것이 보이다, 눈에 띄다.

17 혼자 살아요, 함께 살아요?

본문 80쪽

1 동물, 방식(방법) 2 ③ 3 ①
4 ⑤ 5 ③ 6 ④
7 ① 혼자, ② 무리, ③ 필요

어휘력 키우기

뜻 (1) ⓒ (2) ⓒ (3) ㉠

다지기 (1) 번식 (2) 무리 (3) 계급

넓히기 (1) 대개 (2) 뿔뿔이 (3) 갈매기

1. 글을 읽고 무엇이 살아가는 것을 다루었는지 떠올려 봅니다. 또 살아가는 것들이 어떻게 살아가는지를 떠올려 봅니다.

2. 이 글에서 '혼자'와 구별되는 낱말은 '함께'입니다. 글에 나오는 낱말이에요.

3. 혼자 사는 동물을 설명한 문단이 몇째 문단인지 알아봅니다. 둘째 문단이지요.

4. '사회성 곤충'의 앞에 나온 내용을 잘 읽어 보면 '사회성'의 뜻을 알 수 있어요. 서로 뜻을 주고 받지 못한다면 서로의 의사를 모르기 때문에 무리지어 살기 어렵지요.

5. ㉠을 사이에 두고 앞의 문장과 뒤의 문장이 반대되는 내용이 나오면 적절한 말은 '하지만'이지요.

6. 여러 사람이 함께 하여야만 할 수 있는 놀이와 혼자서도 할 수 있는 놀이를 나누어 보세요.

7. 글을 다시 읽고 문단마다 중심이 되는 낱말을 찾아보세요.

어휘력 키우기

다지기 (1) 숫자가 늘어나고 퍼진다는 뜻 → 번식
   (2) 밤하늘에 별들이 많이 반짝인다는 뜻
   (3) 회사에서 지위가 올라갔다는 뜻

넓히기 (1) '대개'는 '일반적인 경우'라는 뜻, '대게'는 바다에 사는 큰 게
   (2) 뿔뿔이(○)
   (3) 갈매기(○)

18 바다의 보석, 산호

본문 84쪽

1 ③ 2 산호 3 ⑤ 4 ④
5 ④ 6 ① 7 ① 식물, ② 동물

어휘력 키우기

뜻 (1) ⓒ (2) ⓒ (3) ㉠

다지기 (1) 뻗어 (2) 팔랑거리며 (3) 커다랗게

넓히기 (1) 붙어서 (2) 자세히

1. 글감인 산호의 여러 가지 '모양'을 중심으로 글의 내용을 펼쳐 보였죠. 글에서 '모양'이라는 낱말이 여러 번 사용되었어요.

2. 글에서 여러 번 나타나서 글감이에요.

3. 글의 어느 부분에 나오는지 견주어 보세요. '손'처럼 생긴 산호에 대한 내용은 보이지 않네요.

4. 글에서 산호의 입이 위쪽에 있다고 했어요. 산호의 입은 위쪽에 있다고 했기 때문에, 먹이를 몸의 위쪽으로 먹는다고 생각할 수 있겠네요.

5. 근육을 내 맘대로 움직이고, 다른 동물을 잡아먹는 건 동물만 할 수 있는 행동이지요.

6. 동물과 식물로 나누어 봐요. 산호는 동물이라고 했어요.

7. 산호는 식물처럼 보이지만 사실은 다른 동물을 잡아먹는 동물이에요. 그걸 기억하면 빈칸을 쉽게 채울 수 있어요.

어휘력 키우기

다지기 (1) 두 팔을 위를 향하여 길게 펼친다는 뜻입니다.
   (2) 나뭇잎이 떨어지는 모습을 생각해 보아요.
   (3) 많이 놀랄 때 눈이 커지겠지요.

넓히기 (1) '부터서'로 읽지만 '붙어서'로 써야 해요.
   (2) '자세하다'에서 온 말이에요.

19 | 7년 동안의 잠

본문 88쪽

1 개미 2 ① 3 ⑤ 4 ④
5 ⑤ 6 정윤, 남국 7 매미

어휘력 키우기

뜻 (1) ⓛ   (2) ㉠   (3) ㉢

다지기 (1) 곱절   (2) 짐작   (3) 술렁거리기

넓히기 (1) 뭘   (2) 젊은   (3) 돼도

---

1. 먹을 것이 귀한 흉년에 새로운 먹이가 발견되면서 일이 벌어지지요. 젊은 개미들은 새로 먹이를 발견한 만큼 당장 먹어 치우자고 하지만, 늙은 개미는 이게 7년 동안의 수고를 아끼지 않은 매미라면서 먹기를 말립니다. 개미들 사이에 다툼이 생긴 거지요.

2. 매미는 날갯짓을 하며 날아올라 노래 부르기 위해 땅속에서 7년 동안 참고 지내야 한다고 했어요.

3. 늙은 개미의 말을 찾아보세요. "이 매미는 5년도 넘게 참고 기다렸겠는데? 내 짐작이 틀림없다면 7년은 족히 됐으랴. 한여름의 노래를 위해서 7년을……."이라고 했어요.

4. 개미들의 말을 새겨보면, 노래에서 자연의 아름다움을 누리는 기쁨이 깔려 있죠.

5. 이야기의 끝에 나오는 젊은 개미의 말을 통해 그 까닭을 알 수 있어요.

6. 매미를 둘러싸고 일어난 개미들 사이의 다툼을 보면, 다툼을 하더라도 상대의 생각을 존중해 주는 태도를 가르침으로 삼을 수 있어요. 다른 일개미들은 매미 노래의 소중한 가치를 떠올리고 있죠. 그리고 아무 쓸모 없어 보이던 매미의 노래에서 마음의 위안을 떠올렸어요. 매미의 가치를 깨달았지요.

7. 7년 동안 땅속에서 기다려온 동물은 매미입니다.

어휘력 키우기

다지기 (1) 무더워지면서 공부하기가 두 배나 힘들다는 뜻
(2) 대충 어림잡아 헤아릴 수 있다.
(3) 마을 전체가 그 사건으로 어수선하게 소란이 일어났다.

넓히기 (1) '무얼'이 줄어서 '뭘'로 됨.
(2) '절믄'으로 소리나지만 '젊은'으로 써야 해요.(젊다, 늙다)
(3) '돼도'는 '되어도'가 줄어든 말이예요.

20 | 봄

본문 92쪽

1 ③ 2 봄 3 ⑤ 4 ①
5 ③ 6 ④ 7 ① 봄, ② 잠

어휘력 키우기

뜻 (1) ㉢   (2) ⓛ   (3) ㉠

다지기 (1) 발치   (2) 가릉가릉   (3) 한가운데

넓히기 (1) 나뭇가지   (2) 한가운데   (3) 부뚜막

---

1. 아기가 발칫잠을 자고, 고양이가 부뚜막에서 기지개를 켭니다. 바람이 솔솔 불며, 볕이 따스하게 비치고 있어요. 이제 막 찾아든 봄과 더불어 한가로운 분위기에 젖어 든 집안의 풍경을 그리고 있네요.

2. 사람도 짐승도 잠을 이기지 못하고 바람이 솔솔 불며 볕이 따스하게 비치는 계절을 노래했어요.

3. 강아지는 시에서 그려지지 않았어요. ① 1연 ② 3연 ③ 4연 ④ 2연에 나옵니다.

4. 어느 연에서 떠올릴 수 있는지 찾아가면 되어요. 1연이 엄마의 발아래에 잠든 아기의 모습을 떠올리게 해요.

5. 각 연의 끝에 나타난 말을 모아 보세요. '코올코올, 가릉가릉, 소올소올, 째앵째앵'은 모두 흉내 낸 소리의 말이에요.

6. 봄과 관계가 적은 것을 찾아 보세요. ④는 가을 하늘을 떠올리게 하지요.

7. 시에 나타난 낱말을 찾아 넣어 보세요.

어휘력 키우기

다지기 (1) 아빠의 발 가까이에서 잠을 잔다는 뜻
(2) '가릉가릉'은 고양이나 돌고래가 내는 소리입니다.
(3) 화살이 바로 가운데에 맞았다는 뜻

넓히기 (1) 나무의 가지 → 나뭇가지
(2) 한가운데(○)
(3) 부뚜막(○)

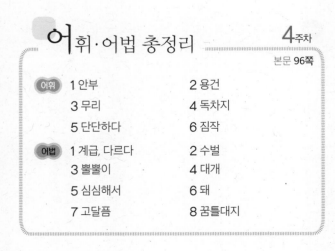

어휘·어법 총정리

4주차
본문 96쪽

어휘 1 안부   2 용건
3 무리   4 독차지
5 단단하다   6 짐작

어법 1 계급, 다르다   2 수벌
3 뿔뿔이   4 대개
5 심심해서   6 돼
7 고달픔   8 꿈틀대지

5주차

본문 98쪽

21 요즘과 달라요

1 ③　　　　2 민속박물관　　　　3 ①, ④

4 ⑤　　　　5 ③　　　　6 ①

7 ① 텔레비전, ② 라디오, ③ 전화기

어휘력 키우기

뜻 (1) ⓒ　　　　(2) ㉠　　　　(3) ⓛ

다지기 (1) 살펴봤다　　(2) 볼록하다　　(3) 평평하다

넓히기 (1) 할머니께서　　(2) 다릅니다　　(3) 어떻게

1. 글의 첫 문단을 잘 살펴보세요. 모든 내용을 아우를 수 있는 것이 중심 내용이에요.

2. 글의 첫머리에 바로 드러나 있네요.

3. 민속박물관에서 본 것은 옛날 텔레비전, 라디오, 전화기입니다.

4. 텔레비전과 라디오로 듣고 싶은 방송을 찾거나, 전화기로 전화를 걸 때 모두 '동그란 장치'를 쓴다고 했어요.
　① 텔레비전에만 있습니다.
　②, ③은 라디오에만 있습니다.
　④ 텔레비전과 라디오에는 있지만 전화기에는 없습니다.

5. ㉠은, 글쓴이도 읽는 사람들도 '함께'라는 뜻이에요.

6. 2문단과 3문단에 나와요. 텔레비전은 방송을 보고 듣는데, 라디오는 방송을 듣는 데 필요한 도구예요.

7. 2~4문단에 민속박물관에서 본 물건이 각각 무엇인지 나오네요.

어휘력 키우기

다지기 (1) 주위를 관심을 가지고 자세히 본다.
　　(2) 주머니에 사탕을 잔뜩 넣었으니 주머니가 튀어나오겠지요.
　　(3) 발바닥이 고르고 판판하다는 뜻

넓히기 (1) '할머니께서'에서 '~께서'는 높일 때 쓰는 말이예요.
　　(2) '다름니다'로 소리나지만 '다릅니다'로 써야 해요.
　　(3) '어떠케'로 소리나지만 '어떻게'로 써야 해요.

---

22 민속놀이

본문 102쪽

1 ④　　　　2 민속놀이　　3 ⑤　　　　4 ②

5 ⑤　　　　6 ⑤　　　　7 ① 경기, ② 힘, ③ 어린이

어휘력 키우기

뜻 (1) ⓒ　　　　(2) ⓛ　　　　(3) ㉠

다지기 (1) 곁들여　　(2) 풍부한　　(3) 겨루는

넓히기 (1) 숨바꼭질　　(2) 삶을　　(3) 띄우기

1. 첫째 문단부터 중심 글감에 대해 설명했어요. 글 전체를 통해 민속놀이의 뜻과 특징, 종류에 대해 이야기하고 있네요.

2. 뜻을 설명하는 말이 글의 첫머리에 나왔다면, 그 말이 글감이에요. 이 말은 이어지는 글에서 여러 번 다시 나올 거예요.

3. 아동놀이 중에서 골라야 해요. 여러분도 해 본 놀이겠네요.

4. 글에 나온 내용 중에서, 민속놀이는 농사와 관련이 커서 때의 변화에 따라 농사일에 맞추어 생긴 것이 많다고 말한 내용에서 알 수 있는 것을 찾아보세요.
　① 민속놀이는 지금도 전해지고 있지요.
　③ 민속놀이 종류에서 '아동놀이' 외엔 모두 어른들이 하는 놀이입니다.
　④ 민속놀이는 여럿이 함께하는 놀이이지요.
　⑤ 제일 재미있는 놀이는 하는 사람마다 다를 것입니다.

5. 경기놀이, 겨루기 놀이는 이기고 지는 것이 있는 놀이지요. '풀싸움'도 아동 놀이지만 이기고 지는 것이 있어요.

6. 물음 아래의 글을 읽으면서 떠오르는 놀이의 모습과 어울리는 이름을 찾아보세요. 글에 나오는 '동그란 돌'이 '공깃돌'입니다.

7. 2문단 중간부터 민속놀이의 종류가 자세히 나오고 있네요.

어휘력 키우기

다지기 (1) 보쌈김치를 함께 먹었다 → 곁들이다
　　(2) 영양이 넉넉하고 많다 → 풍부하다
　　(3) 서로 승부를 다투다 → 겨루다

넓히기 (1) 숨바꼭질(○)
　　(2) '살믈'로 소리나지만 '삶을'로 써야 해요.
　　(3) '띄우다'에서 온 말입니다.

23 | 고래가 물을 뿜어요

1 까닭(이유), 종류   2 ②   3 ⑤
4 ②   5 ①   6 ④
7 ① 고래, ② 까닭(이유), ③ 물보라

어휘력 키우기

뜻 (1) ㉠   (2) ㉢   (3) ㉡

다지기 (1) 독특한   (2) 맑간   (3) 치우친

넓히기 (1) 특이하게   (2) 꼭대기   (3) 닿아

---

1. 글감에 대해 어디에 초점을 맞추어 설명할 것인지, 둘째와 셋째 문단의 첫머리에 나와 있어요. 이래야 중심 내용이 나타날 수 있어요. 둘째와 셋째 문단을 간추려 중심 내용을 알아보세요.

2. 글의 중심 내용을 더 간추리면 제목이 되어요.

3. 셋째 문단에 처음 이름이 나온 고래가 그렇다고 했죠.
   ① 글에 나오지 않습니다.
   ② 뿜는 높이는 말하지 않았습니다.
   ③ 글에 나오지 않습니다.
   ④ 뿜는 높이는 알 수 없습니다.

4. 글에서, 고래가 '숨구멍'으로 숨을 쉰다고 했으므로, 아가미로 숨을 쉬는 것이 아니라고 할 수 있죠. 그래서 고래는 물고기가 아니라 포유류에 속해요.
   ① 머리 꼭대기에 있습니다.
   ③ 숨을 쉬려면 물 위로 올라와야 합니다.
   ④ 물줄기가 두 줄로 뻗어 올라갑니다.
   ⑤ 물보라는 사실 진득진득하다고 하네요.

5. ㉠의 앞에 나온 '물줄기가 두 줄기로 뻗어 올라간다.'에서 떠올려 봐요.

6. 포유류는 새끼를 낳고, 젖을 먹여 키우며, 허파로 숨을 쉰다.

7. 문단의 중심 낱말을 찾아 쓰세요.

어휘력 키우기

다지기 (1) 처음 맡아 보는 **특별한** 냄새 → 독특한
(2) 맑고 **깨끗한** 국물 → 맑간
(3) 한쪽으로 **쏠린** 습관 → 치우친

넓히기 (1) '특이하다'에서 온 말이예요.
(2) 꼭대기(○)
(3) '닿다'에서 온 말입니다.

---

24 | 마음의 색깔

1 마음   2 ①   3 ④   4 ③
5 좋게   6 ②   7 ① 포근함, ② 미움, ③ 짜증

어휘력 키우기

뜻 (1) ㉡   (2) ㉠   (3) ㉢

다지기 (1) 울먹이는   (2) 포근하다   (3) 허공

넓히기 (1) 너의   (2) 없을   (3) 샘솟는다

---

1. 마음을 여러 종류로 나누고, 어떤 종류의 마음이 어떠한지 예를 들어가면서 떠올려준 내용이죠.

2. 많은 마음을 모두 포함하고 마음의 특징을 빗대어 표현한 말은 '마음의 색깔'이지요.

3. 한 문단에 한 가지 마음을 이야기하고 있어요. 각각의 문단에 어떤 마음이 나왔는지 살펴보세요.
   ① 둘째 문단에 '미움이라고 한단다.'에 나왔어요.
   ② 셋째 문단에 '기쁨은 신나는 일들 때문에 생겨 ~'에서 나와요.
   ③ 셋째 문단의 네 번째문장부터 '우리는 짜증이 나게 하는 것들이 있어.'라고 했어요.
   ⑤ 첫번째 문단에 '포근함'이 여러번 나와요.

4. ㉠의 앞에 있는 '동생이 밉기도 하지만 곧 용서하고'와, 뒤에 있는 '안아 줄 수도 있지.'와 어울릴 수 있어야 해요.

5. [조케]로 소리나지만 '좋다'에서 온 말이므로 '좋게'로 써야 해요.

6. 누구든 선생님의 칭찬을 받으면, 기쁘고 신나요.

7. 각 문단에서 중심이 되는 마음을 찾아 쓰세요.

어휘력 키우기

다지기 (1) 길을 잃은 아이가 <u>울상이 되어</u> 울음이 터져 나오려 하고 있어요.
(2) <u>보드랍고 아늑한</u> 봄 날씨
(3) 입김이 <u>텅 빈 공중</u>으로 사라졌다.

넓히기 (1) 너의 마음
(2) 없을(없다)(○)
(3) 셈 → 숫자를 헤는 것, 샘 → 물이 나오는 곳

25 풀이래요

1 ③   2 풀   3 ②   4 ⑤
5 ①   6 ③
7 ① 강아지풀, ② 도깨비바늘, ③ 들판

어휘력 키우기

(뜻) (1) ㉠   (2) ㉢   (3) ㉡

(다지기) (1) 들판   (2) 졸래졸래   (3) 따라다니고

(넓히기) (1) 붙어   (2) 그래요   (3) 안고

1. 1연과 2연에서는 아이를 향한 엄마 아빠의 사랑이 느껴져요. 3연에서는 엄마 아빠의 사랑에 대한 아이의 고마움이 느껴져요. 어느 쪽을 중심 내용으로 보아도 되겠지요.

2. 1연에서는 '강아지풀', 2연에서는 '도깨비바늘', 3연에서는 '내가 풀이라면~'이라고 했어요.

3. '아빠 뒤만 졸래졸래 따라다닌다고'가 나와요. '졸래졸래'는 앞의 사람과 떨어지지 않도록 열심히 따라다니는 모습을 흉내 낸 말이에요.

4. 아빠 엄마가 나를 안아 주시고, 들판이 풀을 안고 키우지요. '안아서 키운다'라는 점이 비슷해요.

5. '귀연'은 '귀여운'으로 써야 하지만 귀엽다는 느낌을 강하게 드러내기 위해 '귀연'으로 표현했어요.
'꼬옥'도 '꼭'이라 써야 하지만 떨어지지 않고 엄마의 사랑을 받고자 하는 모습을 강조하기 위해 이렇게 쓴 것이에요.

6. '강아지풀'은 아빠가 날보고 귀여워서 붙인 이름이지요. 귀엽고 예쁜 느낌이 들지 않는 것을 고르세요.

7. 시에 나타난 낱말을 찾아 넣어 보세요.

어휘력 키우기

(다지기) (1) 곡식이 누렇게 익은 곳 → 들판
   (2) 아이가 부모를 졸졸 뒤따르는 모양 → 졸래졸래
   (3) 강아지가 졸졸 따라다닌다.

(넓히기) (1) 붙어 → 떨어지지 않고, 부터 → 1부터 3까지
   (2) 그래요(○)
   (3) '안다'에서 온 말이에요.

어휘·어법 총정리

(어휘) 1 살펴보다   2 평평하다   3 볼록하다
   4 겨루다   5 치우치다   6 곁들이다

(어법) 1 다릅니다   2 특이하게   3 꼭대기
   4 너의   5 셀 수 없이   6 괴롭혀서
   7 장난감   8 포근한

6주차

26 집안의 물 도둑을 잡아라

1 ③   2 물   3 ⑤   4 ①
5 ②   6 ④   7 ① 이, ② 세수, ③ 욕조

어휘력 키우기

(뜻) (1) ㉢   (2) ㉠   (3) ㉡

(다지기) (1) 절약한   (2) 재활용   (3) 간단히

(넓히기) (1) 기울여   (2) 많지만   (3) 걸레

1. 글의 중심 내용을 떠올려 본 뒤에 답을 찾아야 해요.
글에 나온 내용이라고 해서 다 중심 내용은 아니에요. 특히 빗대어 표현한 말은 중심 내용인지 잘 따져 보아야 해요. 끝 문단에 글쓴이가 하고 싶었던 말이 잘 드러나 있어요.

2. '물방울'로 시작했지만, 중심 내용으로 들어간 둘째 문단부터는 '물'이 진짜 글의 재료로 나오죠.

3. 물음 아래의 항목들을 순서대로 글의 내용과 견주면서 떠올릴 수 있는 장면인지 따져 보세요. 물 도둑은 물을 함부로 쓰는 것을 빗댄 말이에요. 경찰이 잡을 수 있는 진짜 도둑은 아니에요.

4. 물음 아래의 글을 간추려 놓고 윗글의 내용을 떠올려 보세요. 물을 아껴 써야겠다는 생각을 다시 한번 다지게 되죠.
② 우리나라도 물이 풍부한 편이 아니에요.
③ 물기가 많은 과일을 키우는 데도 물이 필요하답니다.
④ 물을 팔 만큼 풍부한 나라가 과연 있을지, 사 오는 데 드는 돈을 어떻게 구할지가 문제입니다.
⑤ 기술과 돈이 필요합니다.

5. ㉠은 '말의 뿌리+ㅁ+이'의 짜임새로 이루어져 있어요. ㉡는 '옷이나 천의 구김, 주름을 펴다.'라는 뜻의 '다리다'에서 왔어요. '다리- + -ㅁ + -이'의 짜임새에요.

6. 글을 읽고 느끼거나 생각한 점을 바탕으로 삼아 잘 지어진 글을 골라보라는 뜻이에요.

7. 글에 두 개의 약속이 나와 있어요. 흐름을 따라가 보며 빈칸을 채워 보세요.

어휘력 키우기

(다지기) (1) 물을 아낀 방법 → 절약한
   (2) 못쓰게 된 것을 다시 씀 → 재활용
   (3) 간편하고 단순하게 → 간단히

(넓히기) (1) 정성이나 노력 따위를 한 곳으로 모으다 → 기울이다
   (2) 많다, 적다
   (3) 걸레(○)

27 전자 기기 게임을 삼가요

1 ④　　　2 컴퓨터, 스마트폰　　　3 ③

4 ⑤　　　5 ①　　　6 ⑤

7 ① 전자파, ② 무리, ③ 공부

어휘력 키우기

뜻 (1) ㉡　　　(2) ㉠　　　(3) ㉢

다지기 (1) 해로운　　　(2) 허둥지둥　　　(3) 발생한

넓히기 (1) 않지만　　　(2) 키워야　　　(3) 마찬가지

1. 글의 앞에서는 전자 게임이 해롭고 위험한 까닭을 자세히 말했어요. 글의 뒤에서는 이런 해로움과 위험에서 벗어나기 위해 어떤 노력을 해야 하는지 말했어요. 이 글을 쓴 까닭은 결국 글 읽는 사람들이 전자 기기 게임에 빠지지 않게 하려고 한 것이지요.

2. 글의 첫머리에 나온 전자 기기 둘만 계속해서 나와요. 오늘날 우리가 가장 많이 사용하는 전자 기기이지요.

3. 글에서 어디에 나온 내용인지 짚어낼 수 있으면 답을 찾을 수 있어요. 2문단에서, 모르는 사이에 전자파에 휩싸여 있다고 했어요.
   ① 컴퓨터를 움직일 때 나오는 전자파가 위험합니다.
   ② 전기가 흐르는 곳에 전자파가 있다고 했지만, 전기를 대신하는 것은 아닙니다.
   ④ 눈, 어깨, 허리 등에 특히 안 좋다고 했습니다.
   ⑤ 오랫동안 게임을 하고 나면 마음이 불안해질 수 있다고 했습니다.

4. 글에 나온 어떤 말에서 깨달았는지 말할 수 있어야 해요. 끝 문단을 읽어 보세요. 게임 중독에서 벗어나기 위해 어떻게 해야 하는지 자세히 알려주고 있지요.

5. 아직은 이런 짝을 찾기가 매우 어려울 거예요. 나오는 대로 기억해 두어요. '습관'은 한자 말이고, '버릇'이 같은 뜻으로 된 순우리말이에요.

6. 글의 나온 내용을 바탕으로 삼아 골라보세요. 헤어날 수 없을 만큼 마음이 온통 쏠려버린 경우를 고르면 되겠죠.

7. 2~4문단에서 빈칸에 들어갈 낱말을 찾아보세요.

어휘력 키우기

다지기 (1) 담배는 건강에 <u>해가 된다</u> → 해로운
　　　(2) 아침이 급하게 <u>서두르며</u> 나오느라 → 허둥지둥
　　　(3) 사건이 <u>일어난</u> 시각 → 발생

넓히기 (1) '안치만'으로 소리나지만 '않지만'으로 써야 해요.
　　　(2) '키우다'에서 온 말이에요.
　　　(3) 마찬가지 : 모양이나 일의 형편이 서로 같음을 이르는 말

28 양치질의 중요성

1 ⑤　　　2 양치질　　　3 ①　　　4 ③

5 ②　　　6 ④　　　7 ① 미생물, ② 신경, ③ 이

어휘력 키우기

뜻 (1) ㉢　　　(2) ㉡　　　(3) ㉠

다지기 (1) 잘게　　　(2) 메워　　　(3) 홈

넓히기 (1) 꿀꺽　　　(2) 소중히　　　(3) 닦아서

1. 글의 중요한 내용을 문장으로 간추려 봐요. 이가 미생물에 깎이면 어떻게 되는지 말하고, 이렇게 되지 않도록 양치질을 열심히 하자고 했어요.

2. '우리의 습관'이라고 했어요. 글에서 강조한 우리의 습관은 하나뿐이에요.

3. 본문에 이를 이루고 있는 것은 에나멜질, 상아질, 치아 속질, 잇몸, 치조골이에요. 근육은 아니지요.

4. 글에서 위가 부담을 느끼지 않도록 이가 충분히 음식을 부숴줘야 소화를 잘 시킬 수 있다고 했어요. 그렇다면 음식물을 오래 씹는 습관은 건강에 아주 좋다고 생각할 수 있지요.
   ① 혀가 아니라 이가 음식물을 잘게 부숩니다.
   ② 글에 나오지 않은 내용이에요.
   ④ 이갈이가 끝나면 더는 새로 날 이가 없다고 해요.
   ⑤ 글을 통해 알 수 없는 내용이에요.

5. '남모르게 조금씩 행동하는 모양'이라는 뜻을 가진 낱말은 보기 중 '야금야금'이에요.

   '야금야금'을 글에서 찾아보면, '미생물들은 상아질까지 야금야금 차지합니다'라고 하여 미생물들이 우리 모르게 상아질을 차지한다는 뜻을 자세히 나타내어 주고 있어요.

6. 음식물을 먹고 나서 입 안에 미생물이 늘어나지 않도록 양치를 하는 버릇이 가장 바람직하죠.

7. 미생물이 이를 파 내려가는 모습이 2~3문단에 나와 있어요.

어휘력 키우기

다지기 (1) 큰 알약은 부수면 작아지지요. → 잘게
　　　(2) 구멍을 막거나 채우다 → 메우다
　　　(3) 물이 흐르도록 오목하고 길게 파는 것 → 홈

 넓히기 (1) 꿀꺽(○)
　　　(2) '소중하다'에서 온 말이에요.
　　　(3) '닦다'에서 온 말이에요.

29 박박 바가지

1 ④　　　2 박박 바가지　　　3 ③
4 ⑤　　　5 ②　　　6 ①
7 ① 도둑, ② 바가지

어휘력 키우기

뜻　(1) ㉢　　　(2) ㉡　　　(3) ㉠

다지기　(1) 철렁　　　(2) 미심쩍어　　　(3) 기겁

넓히기　(1) 아니에요　　　(2) 틀림없는　　　(3) 데가

1. 이야기에는 비슷비슷한 장면이 여러 번 거듭하여 나와요. 그때마다 흉내 내기를 하지요. 흉내 내기를 통해서 재미있는 모습을 보여 주어요.

2. 마지막 장면이 어디서 시작될까요? 할아버지가 부엌으로 들어가는 데서 시작하지요. 할아버지가 부엌에서 본 물건은 무엇입니까? 그 물건으로 어떤 일을 했죠? 흉내 소리는 '박박'이고 물건은 '바가지'입니다.

3. 읽은 글을 순서대로 따라가면서 다시 한번 흉내 소리를 견주어 보세요. 개는 '멍멍, 멍멍'이지요.

4. 할아버지의 말과 행동을 보고 알아내세요. 할머니의 말을 건성으로 받아넘기는 것으로 보아 깊이 생각하지 않는 성격이라고 할 수 있죠.

5. '삐거덕삐거덕'은 '크고 단단한 물건이 자꾸 서로 닿아서 갈릴 때 나는 소리'입니다.

6. 할아버지가 쥐나 고양이 등의 소리라고 둘러대지만 할머니는 여전히 미심쩍어 하면서 도둑의 소리로 의심하고 있어요.

7. 이야기를 다시 찬찬히 읽어보고 들어갈 낱말을 찾아보세요.

어휘력 키우기

다지기　(1) 숙제를 두고와서 걱정과 놀라움에 가슴이 설렘 → 철렁 내려앉다

(2) 분명하지 못하여 마음이 놓이지 못함 → 미심쩍다

(3) 갑작스럽게 겁이 나다 → 기겁을 하다

넓히기　(1) 아니에요(○)

(2) 틀림이 없는 → 틀림없는

(3) 숨을 곳 → 숨을 데

30 묻고 답하는 노래

1 ②　　　2 문, 답　　　3 ②　　　4 ⑤
5 ①　　　6 ④　　　7 ① 빗자루, ② 손가락, ③ 오징어

어휘력 키우기

뜻　(1) ㉡　　　(2) ㉠　　　(3) ㉢

다지기　(1) 물어　　　(2) 답해　　　(3) 북두칠성

넓히기　(1) 풀잎　　　(2) 여덟살　　　(3) 빗자루

1. 말놀이가 어떻게 이루어졌는지 살펴봅니다. 묻고 답하는 말을 주고받으면서 말놀이가 이루어졌어요.

2. 한 사람이 묻고 다른 사람이 답하는 것으로 되어 있어요.

3. 노래에서 '일곱은 뭐니'라는 물음에 '북두칠성 일곱'이라고 답했어요.

4. 우리가 이미 본 말놀이에서 알 수 있어요. 말놀이를 통해 쉽게 낱말을 익힐 수 있죠.

5. 첫째 묶음만 살펴보면, '하나'로 시작하여 '하나'로 끝나요. '하나는 뭐니? 빗자루 하나'에서 볼 수 있듯이 같은 수로 시작하지요.

6. 앞에 든 것이 몇으로 된 것인지 따져 봐요. 소와 같은 짐승의 다리는 넷이 맞죠.

① 발가락의 수는 다섯, ② 곤충의 다리 수는 여섯, ③ 젓가락은 둘, ⑤ 손가락은 다섯이지요.

7. 묻고 답하는 노래를 읽어 보며 빈칸을 채워 보세요.

어휘력 키우기

다지기　(1) 처음 만난 친구의 이름을 물어 보았다.

(2) 친구는 내가 묻자 친절하게 답해 주었다.

(3) 일곱개의 별이 국자 모양을 한 것은 북두칠성이다.

넓히기　(1) 풀+잎 → 풀잎

(2) 여덟+살 → 여덟살

(3) 빗자루 → 비(의) 자루

어휘·어법 총정리

어휘　1 절약하다　　　2 재활용
3 섬뜩하다　　　4 홈
5 허둥지둥　　　6 철렁

어법　1 해로워요　　　2 통째로
3 버릇　　　4 소중히
5 잠그기로　　　6 틀림없는
7 미심쩍지만　　　8 헤맸어요

31
본문 142쪽

다른 사람을 생각해요

1 다른 사람, 말　　　　2 ⑤　　　　3 ①

4 나무　　5 ④　　6 ⑤　　7 ① 힘, ② 기분

어휘력 키우기

뜻 (1) ⓒ　　　　(2) ⓒ　　　　(3) ⓒ

다지기 (1) 더없이　　(2) 불쑥　　(3) 빚

넓히기 (1) 무엇이든　　(2) 안돼　　(3) 실례

1. (가)는 '넌 할 수 있어'라는 말을 다른 사람에게 해주라는 내용이에요.

　(나)는 다른 사람의 마음을 기쁘게 해 주는 말을 하라는 내용이에요. 두 편의 내용을 합치면, 다른 사람의 마음을 생각해 주는 말을 하라는 것이겠네요.

2. '말'이라는 글감이 들어가야겠네요. 그런 다음 글의 내용을 떠올리면서 제목을 골라보세요.

3. 뜻을 새기거나 높임말이 아닌 것을 보고 남의 마음을 상하게 하는 말을 확인할 수 있습니다. 글에 나온 말로, 스스로 생각해 보아도 떠오를 거예요.

4. 노래에 다음 부분에 '큰 꿈이 열리는 나무가 될래요.'라고 한 번 더 나오네요. '우리'를 '나무'에 빗대어 표현했어요.

5. ⓒ은 입으로 하는 말이 삶에 큰 영향을 끼칠 수 있으므로 말을 조심해서 하라는 뜻을 담고 있는 속담이네요.

　① '이치에 닿지 않는 말이다.'

　② '말의 속뜻이 따로 있다.'

　③ '말로만 남을 대접하는 체한다.'

　⑤ '같은 뜻의 말이라도 표현하기에 따라 달리 들린다.'라는 뜻입니다.

6. 글의 내용을 떠올리면서, 스스로 생각해 봐요. 그리고 나는 어땠는지도 떠올려 봐요.

　아무리 가족이라고 하더라도 마음을 상하게 하는 말은 피해야 합니다.

7. 글을 다시 읽고 빈칸에 들어갈 말을 찾아보세요.

어휘력 키우기

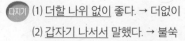

다지기 (1) 더할 나위 없이 좋다. → 더없이

　(2) 갑자기 나서서 말했다. → 불쑥

　(3) 갚아야 할 돈 때문에 고생이 많다. → 빚

넓히기 (1) 무엇이든(○)

　(2) 안 돼(○)

　(3) 실례(○)

32
본문 146쪽

실내에서 뛰지 마요!

1 ②　　　　2 복도　　　　3 ①　　　　4 ③

5 ④　　　　6 ⑤　　　　7 ① 피해, ② 계단, ③ 습관

어휘력 키우기

뜻 (1) ⓒ　　　　(2) ⓒ　　　　(3) ⓒ

다지기 (1) 그릇된　　(2) 다행히　　(3) 실천할

넓히기 (1) 않기　　(2) 천천히　　(3) 여전히

1. '다짐'이라는 낱말은 선생님의 말씀에 대한 다짐으로 나오니 이런 내용이 나온 글의 첫머리에서 찾아야 해요.

2. 장소를 뜻하는 낱말로 '실내', '복도', '교실' 등이 나와요.

　이들 중 글쓴이가 친구들이 뛰어다니는 것을 본 곳을 골라야겠지요. '실내, 교실'도 나왔지만 '복도'가 가장 여러 번 나타났어요.

3. 글 첫머리의 따옴표에 들어간 말은 누구의 말입니까?

4. 글에 나온 '저도 최근에 수업을 마치고 집에 갈 때 복도에서 달려오는 친구와 부딪칠 뻔한 적이 있습니다.'라는 문장에서 그 까닭을 알 수 있어요.

　① 글에 나오지 않은 내용이며 떠올릴 수도 없습니다.

　② 나오지 않은 내용입니다.

　④ 글쓴이가 쿵쾅거리며 걸은 적은 없습니다.

　⑤ 친구가 쫓지 않았습니다.

5. ⓒ과 비슷한 뜻을 지닌 낱말을 고르면 됩니다. '잘못되다'와 '그릇되다'는 비슷한 뜻의 말입니다.

6. 설득하는 힘을 불어넣는 말은 부탁이나 의견에 대한 까닭을 밝히는 내용이어야 해요.

7. 글을 다시 읽고 빈칸에 들어갈 말을 찾아보세요.

어휘력 키우기

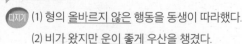

다지기 (1) 형의 올바르지 않은 행동을 동생이 따라했다.

　(2) 비가 왔지만 운이 좋게 우산을 챙겼다.

　(3) 운동이 좋지만 진짜로 해나갈 용기가 부족하다.

넓히기 (1) 않다(하지 않다)

　(2) 천천히(○)

　(3) 여전히('여전하다'에서 온 말)

33 우리나라의 계절

1 ⑤ 2 우리나라, 계절 3 ④
4 ⑤ 5 ① 6 ③
7 (1) 계절 (2) 여름 (3) 겨울

어휘력 키우기

뜻 (1) ㉡ (2) ㉠ (3) ㉢
다지기 (1) 본격적 (2) 이상 (3) 메마른
넓히기 (1) 더워져요 (2) 꽃샘추위 (3) 따뜻한

1. 글의 일부 내용을 말한 것을 중심 내용이라고 골라서는 안 돼요. 중심 내용이라고 했을 때는 글 전체의 내용을 품고 있는 것이어야 해요.
   2문단~4문단까지의 내용을 모두 품을 수 있는 것을 찾아보세요. 봄, 여름, 가을, 겨울의 계절에 따라 날씨의 차이가 뚜렷하다는 사실을 알려주고 있습니다.
   ① 강수량에만 초점을 맞춘 내용이 아니에요.
   ② 사실이지만 글의 중심 내용이 아니에요.
   ③ 1년 평균을 보든, 계절별로 보든, 일정하지는 않습니다.
   ④ 글에 나오지 않은 내용이에요.

2. 글감인 '계절'은 반드시 넣어야겠지요. 다음에 우리나라에 초점을 맞추었다는 점을 생각하면 되겠어요. 봄, 여름, 가을, 겨울로 나누어 중심 내용이 전개되고 있으며, 날씨와 함께 계절의 특징을 설명하고 있으므로 글감은 '우리나라의 날씨'가 아니라, '우리나라의 계절'이에요.

3. 봄에 대해 자세히 설명한 것은 2문단이에요. 2문단의 내용과 어긋난 것을 찾아보세요. 산과 들이 단풍으로 물드는 계절은 가을입니다.

4. 우리나라는 보통 9월부터 11월까지가 가을이라고 나와 있네요. 가을의 날씨를 찾아보세요.

5. 어느 계절에나 나타날 수 있는 것이라면 계절의 특징을 알려줄 수 없겠지요. '고기압'은 어느 계절이든 나타날 수 있어요.

6. 봄철은 꽃가루, 황사(먼지바람)나 미세먼지로 인한 피해가 크지요. 이런 날씨에 잘 대비한 사람을 찾으면 되겠네요.

7. 각 문단에서 중심이 되는 낱말을 찾아 쓰세요.

어휘력 키우기

 다지기 (1) 무더위가 <u>본격적</u>으로 시작되다.
   (2) 몸이 <u>정상적이지 못해</u> 병원을 찾았다.
   (3) <u>건조한</u> 날씨로 산불이 났다.

 넓히기 (1) 더워져요(○)
   (2) 꽃샘추위(○)
   (3) 따뜻한(○)

34 치과 의사 드소토 선생님

1 ⑤ 2 치과 의사 드소토 3 ①
4 ③ 5 ④ 6 ④
7 ① 드소토, ② 여우, ③ 계획

어휘력 키우기

뜻 (1) ㉡ (2) ㉢ (3) ㉠
다지기 (1) 딱하여 (2) 도르래 (3) 명랑한
넓히기 (1) 앉혔어요 (2) 겁니다 (3) 울부짖었습니다

1. 동물들이 나오지만 가르침이 중심 내용을 이루지 않아요. 쥐인 치과 의사 선생님과 치료받으러 온 여우 사이에서 일어난 일이 중심 줄거리를 이루어요. 사람들 사이에서도 흔히 있을 수 있는 일이죠.

2. 빈칸의 수에 맞추어 등장하는 동물 이름을 쓰면 되어요. 이야기의 첫머리에 이름이 정확하게 나와요.

3. 이야기를 한 번만 눈여겨 읽어 보았으면 금세 알 수 있어요. 장면으로 그려진 사건 중 가장 먼저 일어난 것은 여우가 치과 의사를 찾아온 일이에요.

4. 여우의 잠꼬대를 그대로 옮겨 봐요. "음, 음, 음냐음냐……. 날로 먹으면 정말 맛있을 거야. 소금을 솔솔 뿌리고"
   ① 여우가 굶었다는 말은 나오지 않습니다. ② 치과를 떠올린 흔적은 보이지 않습니다. ④, ⑤ 잠꼬대에 이런 내용은 없습니다.

5. '딱하다'는 '사정이나 처지가 애처롭고 가엾다.'라는 뜻이에요. 엉엉 울고 있는 여우의 모습이 딱하고 가엽다고 생각한 것입니다.

6. 여우의 성격이 어떠한지 글에서 알아내어야 해요. 자기를 도와준 치과 의사 부부를 잡아먹으려고 하는 행동은 은혜를 모르는 행동이지요. ① '앞길이 구만리인데'는 아직 나이가 젊어서 앞으로 어떤 큰 일이라도 해낼 수 있는 세월이 충분히 있다는 말입니다. ②'빛 좋은 개살구'는 겉보기에는 먹음직스러운 빛깔을 띠고 있지만 맛은 없는 개살구라는 뜻으로, 겉만 그럴듯하고 실속이 없는 경우에 하는 말입니다. ③ '원님 덕에 나팔 분다'는 사또와 동행한 덕분에 나팔 불고 요란히 맞아 주는 호화로운 대접을 받는다는 뜻으로, 남의 덕으로 당치도 아니한 행세를 하게 되거나 그런 대접을 받고 우쭐댈 때 하는 말입니다. ⑤ '변덕이 죽 끓듯 하다'는 말이나 행동을 몹시 이랬다저랬다 할 때 하는 말입니다.

7. 이야기를 다시 찬찬히 읽어보고 들어갈 낱말을 찾아보세요.

어휘력 키우기

 다지기 (1) 베짱이가 <u>애처롭고 가여워</u> 개미가 먹이를 나눠주었다. → 딱하여
   (2) 엘리베이터를 움직이는 장치 → 도르래의 원리
   (3) 친구는 <u>유쾌하고 활발한</u> 표정을 지었다. → 명랑한

넓히기 (1) '앉히었어요'가 줄어서 '앉혔어요'로 되었어요.
   (2) '겁니다'로 소리나지만 '겁니다'로 써야 해요.
   (3) '울부짖다'에서 온 말입니다.

35 가을 아침

본문 158쪽

1 ④　　　2 나뭇잎　　　3 ②　　　4 ⑤
5 ④　　　6 ⑤　　　7 ① 나뭇잎, ② 바람

어휘력 키우기

뜻 (1) ⓒ　　　(2) ⓛ　　　(3) ㉠

다지기 (1) 웅크리고　(2) 옹기종기　(3) 소곤소곤

넓히기 (1) 밑에　　(2) 웅크리고　(3) 어제 저녁

1. 글감이 나뭇잎이므로, 나뭇잎을 중심으로 내용을 간추려야 해요. 나뭇잎이 진 어느 가을 아침 날의 분위기를 중심 내용으로 삼았어요.
2. 한 번밖에 안 나와서 찾기가 쉽지 않을 거예요. 말하는 사람이 무엇을 보고 말하는지 알아차려야 해요.
3. 시의 첫머리에 '오늘 아침'이라 했으니까, 아침이에요. 그럼 계절은 언제일까요. 저녁 바람이 대단했고, 발발 떨었다는 말, 나뭇잎이 모여 앉은 계절이지요.
4. 창 밑에 나뭇잎이 모여 있는 장면을 떠올릴 수 있어요. 정말 사람들이 모여 이야기하고 있는 것은 아니지요.
5. 스스로 입으로 중얼거리면서 소리를 흉내 낸 것인지 가려봐요. '소곤소곤'은 소리를 흉내 낸 말인데, 이런 말은 재미있는 느낌을 자아내어요.
6. '재빨리'는 동작이나 정신이 극히 짧은 시간 동안에 움직이는 모양을 나타내는 말이예요.
7. 시에 나온 낱말을 찾아서 그대로 쓰세요.

어휘력 키우기

다지기 (1) 사자가 사냥감을 노리기 위해 숨어 있는 모습
(2) 아이들이 둘러앉은 모습
(3) 남이 알아 듣지 못하게 가만가만 이야기하는 소리

넓히기 (1) 밑(물체의 아래)+에 → 밑에
(2) 웅크리고(○)
(3) 어제 저녁

어휘·어법 총정리

7주차
본문 162쪽

어휘　1 그릇되다　　　2 다행히
　　　3 메마르다　　　4 빚
　　　5 대롱대롱　　　6 소곤소곤

어법　1 계절　　　　2 메말라
　　　3 천천히　　　4 본격적
　　　5 웅크리고　　6 창 밑을
　　　7 바닥에　　　8 도르래

36 꾸며주는 말

본문 164쪽

1 ④　　　2 꾸며주는 말　　　3 ③
4 ③　　　5 ②　　　6 ⑤
7 ① 모양, ② 성질, ③ 정확, ④ 실감

어휘력 키우기

뜻 (1) ㉠　　　(2) ⓒ　　　(3) ⓛ

다지기 (1) 드러내며　(2) 자세하여　(3) 실감나게

넓히기 (1) 빗방울　　(2) 자세하게　(3) 굵은

1. 예를 들어가면서, 꾸며 주는 말이 붙어서 어떤 일을 할 수 있는지 자세히 설명하고 있어요.
　꾸며 주는 말이 모양이나 성질을 잘 드러나게 하는 말이라는 것을 설명하는 데 초점이 맞추어졌어요.
2. 글의 첫머리에서 뜻을 설명하고, 이어서 더욱 자세한 설명이 붙는 것이 글감이 됩니다.
3. 글에 첫머리에 '꾸며주는 말'이라고 나와 있네요.
4. 글의 설명을 이해하고 보면, 넷은 꾸며 주는 말인데, 하나는 꾸밈을 받는 말이에요. '우산을' 앞에는 다른 말을 붙일 수 있어도, 이 말이 다른 말을 꾸밀 수는 없습니다.
5. 입으로는 '주룩주룩'을 중얼거리면서 자꾸 머릿속에 떠올려 보세요. 비가 내리는 소리를 흉내 낸 말이랍니다.
6. 글에서 꾸며 주는 말이 모양이나 성질을 더 잘 드러나게 해 준다고 했어요. 그렇다면 꾸며 주는 말의 수가 많을수록 뜻을 자세히 드러낼 수 있겠지요.
　① 꾸며 주는 말이 없습니다.
　② '마침내' 하나만 꾸며 주는 구실을 합니다.
　③ '온종일'만 꾸미는 말입니다.
　④ 꾸며 주는 말이 '마침내'와 '기다리던' 둘입니다.
7. 각 문단에서 중심이 되는 낱말을 찾아 쓰세요.

어휘력 키우기

다지기 (1) 늑대가 숨겨둔 속마음을 드러냈다.
(2) 설명이 아주 구체적으로 잘 되어 있다.
(3) 영화가 동물의 살아가는 모습을 실제로 체험하듯이 보여주고 있다.

넓히기 (1) 비 + 방울 → 빗방울
(2) '자세하다'에서 온 말이에요.
(3) [굴근]으로 소리 나지만 '굵은'으로 써야 해요.

37 임금님의 집 창덕궁

1 인정전, 규장각   2 ④   3 ①
4 ④   5 ③   6 ⑤
7 ① 인정전, ② 규장각

어휘력 키우기

뜻 (1) ⓒ   (2) ⓔ   (3) ㉠
따지기 (1) 어우러져   (2) 우러러보며   (3) 익히려면
넓히기 (1) 함부로   (2) 배웠어   (3) 간직한 채

1. 여러 장소를 설명하고 있어서 중심 내용 간추리기가 번거로울 거예요. 가장 길게 설명한 두 곳에 초점을 맞추어 중심 내용을 간추려보아요.

2. 글의 첫머리에 나와서 글 전체의 내용을 아우를 수 있는 말이면 되어요.

3. 글의 처음에 나온 장소가 처음 마주치는 장소입니다. 예전에 군사들이 지켰던 곳으로 출입구이지요.

4. 글 첫머리에 나오듯이 뒤로 산이 두르고 앞으로 물이 흐르는 곳을 아름답고 살기 좋은 곳으로 여겼어요.

5. 두 낱말이 합쳐 새로운 낱말을 이룬 것을 찾으라는 것이에요. '붓글씨'는 '붓'과 '글씨'라는 두 낱말이 합쳐져 새로운 낱말을 이루었죠. 나머지는 모두 더는 나눠질 수 없는 하나의 낱말입니다.

6. 글의 설명을 따라, 왕실의 도서관이었던 곳을 찾아가면 되지요.

7. 글을 다시 읽고 장소의 이름을 찾아 쓰세요.

어휘력 키우기

따지기 (1) 길가에 들꽃들이 <u>여럿이 조화를 이루며</u> 피었다.
(2) 푸른 하늘을 향하여 <u>쳐다보며</u> 생각에 잠겼다.
(3) 악기를 <u>솜씨있게 연주하려면</u> 연습이 필요하다.

넓히기 (1) '함부로'(○)
(2) '배우다'에서 온 말이므로 배웠어(○)
(3) 간직한 채(○)

38 충분히 자요

1 ④   2 잠   3 ③   4 ④
5 ①   6 ②   7 ① 잠, ② 뇌

어휘력 키우기

뜻 (1) ㉠   (2) ⓛ   (3) ⓒ
따지기 (1) 차츰차츰   (2) 끊임없이   (3) 관찰하여
넓히기 (1) 올바른   (2) 활동   (3) 거예요

1. 글쓴이의 중심 생각이 글에서 어떤 부분에 나타났는지 알아내면 답을 찾기가 쉬워요.
이 글에서는 끝 문단에 중심 생각이 모여요. 건강한 삶을 위해 잠을 충분히 자야 한다는 생각이 중심에 놓여 있어요.

2. 어려운 낱말을 사용하고 짜임새도 복잡하지만, 여러 번 반복하여 나타난 낱말을 쉽게 찾을 수 있어요.

3. 물음에 답할 수 있는 내용이 글의 어디에 나왔는지 확인해보세요. 첫 문단이죠.

4. 글에 나온 내용 중 물음을 해결할 수 있는 것이 무엇인지 떠올릴 수 있어야 해요.
우리 몸은 밝을 때 일하고, 어두울 때 쉬도록 맞추어져 있다고 한데서 생각을 해 보세요.

5. '자다-잠'이 어떤 관계인지 따져 본 뒤에 답을 찾아가야 해요.
'잠'은 '자다'라는 말의 줄기 '자'에 'ㅁ'을 붙여 만들어진 낱말이에요.
'꿈'도 '꾸다'라는 말의 줄기 '꾸'에 'ㅁ'을 붙여 낱말을 새로 만들었죠.

6. 물음의 뜻을 곰곰이 새겨보면, 깨어 있는 동안 워낙 기억에 뚜렷하게 남게 된 일이어서 꿈에 다시 나타난다는 뜻의 말이면 알맞죠.
① '희망을 낮추거나 버리다.'
③ '전혀 생각도 못 하다.'
④ '희망이 너무 커서 이루어지기 어려움을 비꼬는 말'
⑤ '전혀 생각해내지 못하다.'라는 뜻입니다.

7. 각 문단에서 중심이 되는 낱말을 찾아 쓰세요.

어휘력 키우기

 따지기 (1) 해가 <u>점차로 기울어져</u> 가고 있다.
(2) 계절은 <u>계속하여 이어지며 되풀이</u> 된다.
(3) 식물의 성장을 <u>주의깊게 살펴서</u> 일기를 썼다.

 넓히기 (1) 올바른(○)
(2) 활동(○)
(3) 거예요(○)

39 받아쓰기 시험

1 ④　　　　2 받아쓰기　3 ①　　　　4 ④
5 ④　　　　6 교실
7 ① 받아쓰기, ② 삐아삐아, ③ 비틀비틀

어휘력 키우기

뜻 (1) ㉡　　　　(2) ㉢　　　　(3) ㉠

다지기 (1) 산산조각　(2) 삐뚤빼뚤　(3) 비틀비틀

넓히기 (1) 제대로　　(2) 많이　　(3) 작대기

1. 이야기의 줄거리를 간추리면, 우리가 다니는 학교에서 흔히 있을 수 있는 일을 다루면서 은수라는 아이의 마음이 어떻게 변화하는지 중심 내용으로 삼았어요.

2. '받아쓰기'를 글감으로 삼아서 사건이 일어났지요.

3. 이야기의 첫머리에서 확인할 수 있어요. 선생님이 받아쓰기 시험을 치르겠다고 알려준 일이 가장 먼저 일어났어요.

4. ㉠을 따져서 읽어 보면, 승규는 공부 잘하지만 남 생각은 잘 하지 않는 얄미운 아이예요.

5. ㉡을 사이에 두고 앞에 있는 문장이 뒤에 있는 문장의 이유가 되어요.

6. 시간은 1교시 받아쓰기 시험시간이며, 장소는 은수네 반의 교실이고, 등장 인물은 은수, 승규, 수진, 선생님입니다.

7. 이야기를 다시 찬찬히 읽어보고 들어갈 낱말을 찾아보세요.

어휘력 키우기

다지기 (1) 거울이 <u>아주 잘게</u> 부서졌다.
(2) 색종이를 <u>이쪽저쪽으로</u> 기울어지게 오렸다.
(3) <u>몸을 가누지 못하고 쓰러질듯이</u> 걸었다.

넓히기 (1) 제대로(○)
(2) '마니'로 소리나지만 '많이(많다)'로 써야 해요.
(3) 작대기(○)

40 떡볶이

1 ①　　　　2 떡볶이　3 ③　　　　4 ④
5 ⑤　　　　6 ③　　　　7 ① 떡볶이, ② 땀, ③ 오순도순

어휘력 키우기

뜻 (1) ㉢　　　　(2) ㉠　　　　(3) ㉡

다지기 (1) 매콤　　(2) 오순도순　(3) 송골송골

넓히기 (1) 매콤　　(2) 싶어　　(3) 고이는데

1. 두 편의 시가 읊은 마음은 똑같아요. 친구들과 오순도순 떡볶이를 함께 먹고 싶다고 했어요.

2. 시에 음식 이름이 바로 나오지는 않아요. 시의 말을 보고 알아차려야 해요. 달콤하고, 맵고, 그래서 땀이 맺히게 하는 음식, 그래도 맛있어서 호호거리며 함께 먹고 싶은 음식을 떠올려 봐요.

3. '떡볶이'하면 떠오르는 맛이 있지요. (가)의 첫째 줄과 (나)의 둘째 줄을 보면, '맵다'가 공통으로 나타나고 있어요.

4. 소리까지 삼킬 수는 없는데, 왜 '맛있다'라는 소리까지 삼키면서라고 말했을까요? 함께 먹는 음식 맛에 흠뻑 빠져들어서 그런 것이지요.

5. 이런 뜻을 지니는 흉내말은 써봤을 거예요. 아직 써 보지 않았다면 따로 새겨 두세요. ㉢ '송골송골'은 땀이나 소름, 물방울 등이 살갗이나 표면에 잘게 많이 돋아난 모양을 흉내 낸 말이에요. ④는 입김을 불어 내는 소리지요.

6. 말하는 이는 친구들과 맛있는 음식을 먹고 싶다고 생각하고 있어요.

7. 시에 나온 낱말을 그대로 찾아서 쓰세요.

어휘력 키우기

다지기 (1) 고추를 넣으니 냄새나 맛이 <u>매워졌어요</u>.
(2) 형제들끼리 <u>정답게 모여</u> 이야기했어요.
(3) 이마에 <u>땀방울이 돋아나</u> 있어요.

넓히기 (1) 매콤(○)
(2) '시퍼'로 소리나지만 '싶어(싶다)'로 써야 해요.
(3) 고이는데(○)

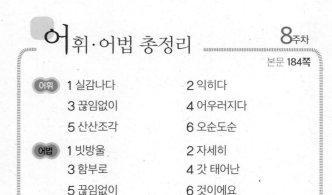

어휘·어법 총정리

어휘 1 실감나다　　2 익히다
3 끊임없이　　4 어우러지다
5 산산조각　　6 오순도순

어법 1 빗방울　　　2 자세히
3 함부로　　　4 갓 태어난
5 끊임없이　　6 것이에요
7 안 되잖아　　8 이를 거야